官能の庭I

マニエーラ・イタリアーナ

ルネサンス・二人の先駆者・マニエリスム

マリオ・プラーツ——著
伊藤博明・白崎容子・森田義之他——訳
伊藤博明——監修

Mario PRAZ, Il Giardino dei Sensi I, LA MANIERA ITALIANA: Rinascimento, Due Antenati, Manierismo

ありな書房

官能の庭I

マニエーラ・イタリアーナ——ルネサンス・二人の先駆者・マニエリスム

目次

Mario PRAZ

Il Giardino dei Sensi I
LA MANIERA ITALIANA
Rinascimento, Due Antenati, Manierismo

Transtulerunt Hiroaki ITO
Yoko SHIRASAKI
Midori WAKAKUWA
Kiyoo UEMURA
Yoshiyuki MORITA

Commentavit e Curavit
Hiroaki ITO

Edidit Akira ISHII

Designavit Hikaru NAKAMOTO

官能の庭I

マニエーラ・イタリアーナ――ルネサンス・二人の先駆者・マニエリスム

プロローグ　逆光のマリオ・プラーツ

　二〇世紀イタリアが生んだ稀代の批評家・文化史家マリオ・プラーツ（一八九六年〜一九八二年）が晩年の一三年間を過ごしたのは、ローマの中心部ナヴォーナ広場の北、テヴェレ川に臨むパラッツォ・プリーモリの最上階であった。この邸館は、中部イタリアのヴィテルボ近郊カニーノの侯爵であったジュゼッペ・プリーモリ（一八五一年〜一九二七年）が所有していたもので、彼はそこにナポレオン博物館（一階）を設け、豊かな蔵書を収める図書館を遺した。当時プラーツは、それらを管理するプリーモリ財団の理事長を務めていた。

　プラーツはこの住居をいたく気に入っていたようで、一九七四年執筆の秀逸なエッセイ「パラッツォ・プリーモリ」（『ローマ百景――建築と美術と文学と』［ありな書房］に所収）において、「アンピール様式を好む私には、ジュリア通りの古い屋敷よりも合っている」と述べている。とりわけプラーツが愛したのは、屋上のテラスからのローマの素晴らしい眺望であり、「北東に目をやれば、蛇行するテヴェレ川、リベッタ通りの家並み、コルソ通りにつながるポポロ広場の双子の聖堂……」と詳細な描写が続き、まさに「ローマ百景」（Panopticon romano）のミニチュア版の趣がある。

　ケンブリッジ大学からの名誉博士号を授与されたさいに読んだ演説を、テレンティウスに遡る、「人間に関することで私に無縁なものはなにひとつとしてない」という言葉で結んだプラーツはまた、人間が創出した数々のオブジェ――しばしば綺《コンチェット》想や幻《ファンタジーア》想にあふれた奇矯《ビザッロ》なものや異様《インソーリト》なもの――の偏愛を隠すことはなかった。歴史的にも地理的にも広大な文化的・芸術的領域を網羅した、プラーツの業績は一九九六年時点で二六七七点にものぼり（一九九七年刊行の『マリオ・プラーツ著作書誌』による）、彼自身がいわば「文化・芸術百景」（Panopticon cultrale-artistico）を具現している。しかし、彼が凡百の美術百科事典と異なるのは、「グロテスク」が立項されていることである。

プラーツの旧住居は現在、プラーツ博物館（Museo Praz）として一般にも公開されている。「入口の間」には意外にも現代作家のファブリツィオ・クレルチやレオノール・フィニの絵画が飾られているが、案内に導かれて八つほどの部屋を回るならば、そこに展示されている七八二点のオブジェは、近代ヨーロッパ芸術の「ごった煮」（pot-pourri）とも表現すべき光景を出現させている。もちろんプラーツは博物館のオブジェだけによってわれわれの記憶に伝えられているわけではない。プラーツは死の前年のインタヴューにおいて、「私は第一に、創造的な知性というよりも批判的な知性としてある」と語っている。アンドレア・カーネは彼の死の翌年に刊行した『マリオ・プラーツ――批評家にして作家』において、この言葉を引用しつつ、「彼の諸作品は、並外れた批判的知性による創造的使用の産物として読まねばならないであろう」と結論している。それは、プラーツが控え目に語っていた「批判的」言説が、真に「創造的」作品となりえているのか、より端的に言うならば、それは現在においても読むに値するのか、という問題である。

カーネは自らその解答を出すように、二〇〇七年にプラーツの一一三篇の論文を含む、一八五〇ページに及ぶ浩瀚な『美と奇矯』を刊行した。プラーツ自身が警告しているように、歴史的な事象についての心理的再構築を企てる者はすべて、同時代の精神的風土や文化的環境の影響を受けざるをえず、それは「普遍的で、不可避的な現象」である。むろん、この事態が自らに適用されることもプラーツは自覚していたに相違ない。プラーツがこの事態に対処するために提起したのが、このような心理的再構築を現在から照らして逆光にして読む、という手段である。逆光とは、一般的には対象物の背後から射す光であり、対象物は一様に灰色になったり黒ずんだりする。一見するとこれは物事の識別を曖昧化するのであるが、実は「時代精神」を浮かびあがらせ、判断のために先入観を「括弧に入れる」作業となりうる。いま、プラーツを読むのは、まさにこの観点からでなければならない。

（伊藤博明）

ヒエロニムス・ボスの〈奇妙な相貌〉

近年、とりわけフランスにおいて、芸術における奇矯《ビザッロ》なものや異様《インソーリト》なものに関する多くの書物が出版された。[☆1] またイタリアでも著名な美術作品の複製をおさめた一般向けの〈形態と色彩《フォルマ・エ・コローレ》〉のシリーズ（書肆サンソーニ刊）が、そのうちの一巻すべてをゴヤの《聾の家》にあてている。カテゴリーやジャンルの区別が曖昧であった一八世紀であったならば、こうした関心はエドマンド・バークの『哲学探究』（*Philosophical Enquiry*）のような作業できわめられたであろう。しかしいまや、われわれが関心を寄せる領域は広大なものとなり、そして定義というものへのわれわれの信頼はあまりに希薄になっているため、これらの書物の大部分が人の眼を唖然とさせるような珍奇《クリオジタ》なものの寄せ集めにすぎないとしてもなんら驚くことはない。

しかしながらロジェ・カイヨワは、幻想的《ファンタスティコ》なものを、あまり明白ではなく、確固さを欠いた顕現《マニフェスタツィオーニ》に限定しようと試みた。「内に秘められた異様なものは、すなわち日常性に身を潜め、日常性に忍びこむ幻想的なものは、奇を衒ったガラクタをひけらかし、子どもじみた手段で平凡なものに攻撃を加える安易なものよりも濃密で、より〈効力〉の強い幻想的なものが存在することを意味しているのではないであろうか。この目立たない幻想的なものは、好んで平凡なものの中に溶けいり、身を潜め、そして並外れた慎みを見せる。あたかも慎みが深ければ深いほど、自らの力がおのずと明らかになるように」。それゆえカイヨワならば、ヒエロニムス・ボスが《カナの婚礼（饗宴）》で見せたあらゆる厚かましい悪魔のいたずらや系統だった混淆の創出を「ひそやかに奇妙な」と表現するであろう（図1）。

実際、偏倚《エッチェントリコ》なものは、それがまさに偏倚なものであるがゆえに定義を拒むのである。あからさまに偏倚であることも、ひそやかに偏倚であることに劣らず効力を発揮する。奇矯なものは、〈気質〉がそうであるように人によって異なる。偏倚なものを語るよりも偏倚でないものを語るほうが容易である。ボスは偏倚な人物であり、ゴヤもまたそうである。そして、われわれにそうした印象を与える多くの偏倚な人物がいるが、しかしそう分類されたと知って驚くのは彼らであろう。エンブレム――道徳的、政治的、そして化学的――の書物の著者たちは、はたして自分たちを偏倚な人物であるとみなしていたであろうか、たしかにカイヨワは彼らをそのリストに加えてはいるが。またキルヒャーは、自分をはたして偏倚な人物と考えていたであろうか。ルネサンス期の「聖会話」を主題とする祭壇画の背景に、しばしば風景がかいま見られるからといって、それを描いた画家たちを風景画家として分類することがためらわれるように、思いもよらぬ奇想《カプリッチョ》や、奇妙な細部がわれわれを驚かせようとも、全体ではいたって普通の構図を描いた画家たちを奇矯《ビザッロ》な人物と呼ぶことはためらわれるであろう。

これらの異様で奇矯なものは、さまざま理由から生じたのである。第一の理由は芸術家たち――エンブレムの書物の挿絵画家たち――が参照した象徴《シンボロ》や寓意《アレゴリーア》がもはや現在のわれわれには親しみ深いものではなく、それゆえわれわれに奇妙なものとしての印象を与えるという事実によっている。第二の理由は――フュスリのフェティシズムのように――ある細部への執拗なこだわりとなって現われる強迫観念に求められる。さらに別の理由として、プリニウスが〈グリロス〉（grilli）と呼んでいた形象を考案した古代の宝石の彫琢師や壁画の装飾画家に見られるような、考え抜かれた奇矯な歪曲もあれば、それに劣らずゴシック時代の彫刻家たちの背徳的な幻想もあり、そしてヒエロニムス・ボスの組織だった混淆の創出もある。

私には奇妙に思われるのだが、アンドレ・ブルトンの最近刊行された『シュルレアリスムと絵画』の新版では、シュルレアリスムの傾向をもった画家たちがしばしばその先駆者として認めていた芸術家にもかかわらず、ヒエロニム

ヒエロニムス・ボス
図1——《カナの婚礼（饗宴）》
ロッテルダム　ボイマンス・ファン・ベーニンゲン美術館

ヒエロニムス・ボス
図2——《快楽の園》中央パネル「地上」
図3——《快楽の園》右翼パネル「地獄」
図4——《快楽の園》左翼パネル「天国」
一五〇〇～一〇年
マドリード　プラド美術館

ス・ボスの名にはまったく言及されていない。[☆2] だが、ボスを彼らの父と呼んだところで、それだけでは十分な表現であるとは言えないし、正しい表現というわけでもないであろう。傑出した定理に、それから派生した凡庸な命題が先駆者の名を冠することができるならば、また、ひたすら盲従することに汲々としているだけの追随者[☆3]が、自分の依拠している権威がある仕方で先鞭をつけていたと容認することが礼儀正しい謙虚な行為とみなしうるならば、かの灼熱の炎サルバドール・ダリの最初の閃光はヒエロニムス・ボスであったと言われてしかるべきである。実際、ダリのいくつかの構図と並べて、《快楽の園》（プラド美術館では《淫乱の者たち》という名称で通用している［図2・3・4］の地獄図（右翼パネル［図3］）の中央に配された形象を眺めれば、たちどころに、ボスはダリのすべてを、ダリよりもかぎりなく多くのものを、四世紀もまえに語っていたことを納得できるであろう。

火炎の燃え盛る地獄の空恐ろしい光景のまっただ中、凄まじい責苦にあっている生命のひしめく中央に、背を丸めて慎みのない姿態をとる白い怪物が表わされている。その身体は巨大な卵であり、そこに人間の柔軟な関節によく似た空洞の枯れ木の幹が「足として」接続されているが、幹からでる枝の尖った先端は胴体の巨大な卵の殻を貫いている。一方、この卵の殻のすぐ上には風笛を戴いた円い盤が微妙に均整を保っている。そしておよそ人間が身につけるにはふさわしくないこの帽子状のものの下から、蒼ざめながらこちらをそれとなくふりむいているのは男の顔[☆4]であり、その凄まじい光景の中でも、それは周囲とまったく関連をもたないがゆえに恐怖を抱かせる。

彼の眼は、白い怪物の尻――割れて口が開いた卵の殻――の方に目配せをしているように見える。彼はわれわれに向かって知恵を絞っているのである。そして白い怪物の内側には、居酒屋風笛亭――その表徴《インセーニャ》は、卵の殻を突き抜けて殻の上にでている枯れ枝の一本の先にとりつけられた風見の旗に描かれている――が店を開けていて、枝にとまっている一羽の梟が爛々と眼を光らせている下で、一人の魔女が、暗がりに配されたテーブルを囲んで座っている罪人に与えようと、樽から飲みものを注いでいる。

もう一人の小さな人物が、絶望に打ちひしがれ想いに沈みながら、割れてぎざぎざした卵の殻のへりにもたれかか

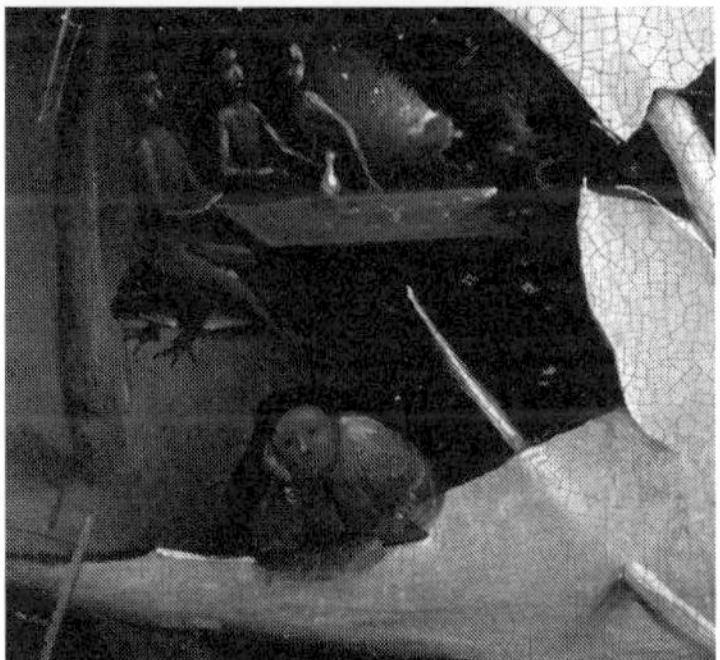

図3部分——《快楽の園》右翼パネル「地獄」

っている。ある研究者によれば、ボスその人の姿であるとみなされるこの人物は、あまりに凄惨な悪夢に圧倒されて苦痛に満ちた表情をしている。帽子状の円い盤は悪魔や魔女の散策の場となっていて、角を生やし、鳥の嘴をもった彼らは、それぞれがあたかも蚯蚓《みみず》のような裸体の小さな罪人たちの手をとってひきつれている。

一方、割れた卵の殻には梯子がかけられ、そこを別の死霊のような姿の頭巾をかぶった人物が昇っていて、尻か尾のように硬い杙《くい》を突きだしている。そして梯子の下の裸体の男は、あたかも凍てついた水の中にとびこまねばならないかのように寒さに肩をすぼませている。早く昇るようにこの男を急かしているのは、鶏の頭に蝶の羽根をつけ、脚に神聖黄金虫《スカラベ》の鎧をまとった悪魔である。

このように文字を連ね、苦労をして叙述を続けても、あまりに多くのものが満ちあふれるこのパネルのイメージを伝えるには十分ではないであろう。「幻想と奇想に満ちた創意の数々を説明することほど厄介で骨の折れることはない」とヴァザーリも述べているが、彼はまさにこれらの絵画を指していたのである。これらの幻想と綺想に満ちた創意――たんなる気紛れと言いきることはできない――は、なぜ現代のわれわれの心をとらえ、われわれに畏怖を覚えさせうるのであろうか。

現代の人々が、ボスもまたフロイトの先駆者の一人であることを発見するよりはるか以前に、フライ・ホセ・ド・シグエンサは一六〇五年にマドリードで刊行された『聖ヒエロニムス会の歴史第三部』(*Tercera parte de la Historia de la Orden de San Geronimo*)で次のように書いている。「私の見るところ、この人物［ボス］の絵とほかの画家のそれが異なっているのは次の点である。すなわち、ほかの者は常に人間の外観がどうであるかを描こうとしているのに対して、この人物は、そしてただ彼のみが人間の内面がいかなるものかを描こうという勇気をもっていた」。

中世の終焉にあたって、ゴシックが、いわゆる〈フライボワイヤン［火焔］〉という様式において最後の炎と燦めきを放っていた。その甘美な筆致《カリグラフィア》、王や諸公の宮廷の中で長いあいだに育まれたゴシック芸術の優雅さは、イタリアの盛期ルネサンスにおいてさえその残像――ボッティチェッリの優雅に捩れた形象、フィリッピーノ・リッピの激しく錯綜した表現、クリヴェッリの宝石細工や透かし彫りのような表現——が見いだされる。さらにまた、キリストの聖痕についての敬虔な瞑想の世紀、地獄での受難者たちについての敬虔な瞑想の世紀、悪徳や情念の寓意に専心した世紀、彼岸の幻視《ヴィジオーネ》と内面の想像力豊かなパノラマの世紀、あたかも心理学の初歩を形象化したような、こうした世紀にわたってゴシックは最後の花火を燦めかせたのであった。

〈理性〉が、人々の意識下に存在するあるゴグとマゴグ〔『エゼキエル書』三八・二～二三、『ヨハネによる黙示録』二〇・六～一〇〕を、自らの古典主義的な防壁の彼方へと放逐するのはそのすぐあとの時代である。たとえばボンヴェズィン・ダ・リーヴァが大雑把ではあるが直感したもの、ダンテが響きのある詩行の助けを借りて表現しようと試みたもの、すなわち、人間と蛇の定位および変身を、「顎から屁を放りだすところまで」身体の裂けている魑魅魍魎《ファンタズミ》を、あるいは斬られた首を龕灯のように下げた首のない人々を、正しい人間の顔をもつ渦巻き状や円形に描かれた龍を、牛の角をつけたヒュドラに変身する牛車を、これらすべての妖怪《ラルベ》の民を通して、中世の人間はあたかも眼を開いて見た夢のように自らの内面の世界を形象化したのである。

ヒエロニムス・ボスは目眩くばかりの効果でそれらを描いたが、それはイタリアの静謐な芸術家たちのだれ一人としてなしえないことであった。ジョヴァンニ・ベッリーニの寓意画をボスの幻視と比べてみるならば、なんとベッリーニのそれが機械的でまた冷ややかなものに映ることであろうか。彼の絵では、怪物たちに与えられた持物《アトリビュート》は根拠のある理由によって説明が可能なものであり、感覚から生みだされたものではない。また、もしイタリアの芸術家がボスの妖怪を模倣しようとするならば、かならず絵の中央に眠っている人物を配さねばならないであろう。なぜなら、「これはおまえの独断にすぎない」と非難されたときには、次のようにいかにも穏やかに言い訳ができるようにするためである。すなわち、「これは夢にすぎない」[☆5]、と。

ボスの場合、奇矯なものや幻想的なもの対する彼の中世的な趣好に貢献したのはまた、特異でグロテスクなイメージを表わした護符が広範に流布していた原始や古代の文明であった。コンスタンティノポリスの掠奪（一二〇四年）

以後、彫刻のほどこされた宝石で装飾された財宝の数々が西ヨーロッパの地域に流出した。たしかにキリスト教徒がキリスト教徒と戦ったこの無分別な蛮行を非難するのは可能であろう。しかしながら、ちょうどポンペイやヘラクラネウム［エルコラーノ］の町を埋め尽くしたヴェスヴィオ火山の噴火の大惨事が、一度は火山灰の下に埋蔵した古典古代をほとんどそのまま再び陽の光のもとに返すことを許し、それにともなって新古典主義の流行が起こったのと同じように、宝石に彫られたグロテスク文様に想を得た動物の形態の兜飾り、そして古代の貨幣、アッシリアの円筒状印章、ヘレニズム時代の彫板に想を得たボスの怪物たちの奇妙奇天烈な形象は、コンスタンティノポリスの略奪が間接的にもたらしたものである。これらの古代の印章に、リスボンの国立古美術館蔵の《聖アントニウスの誘惑》（図5）の中に描かれた白鳥や魚の形象をとる舟を見いだすことができるであろう。そしてまた原始と古代の文明が伝えられたからこそ、一三世紀を通じてヨーロッパに入りこんできた東アジアの影響として、いっそう異質なるものとの交配が起こり、この奇矯なものへの趣好が高まったのである。ボスの描く樹木の姿をした悪魔たち、人間の姿をとった山や岩、これらは中国から伝来したものである。[☆6]

ボス、この時代遅れの人間、この田舎者の中に中世の幻想の精髄がなんとみごとに抽出されていることであろうか。まさに彼を「時代遅れ」と定義することは、シェイクスピアを「時代遅れ」の中世演劇と定義するに等しい。このような様式と生命の諸概念の深化はあらゆる時代を超越するのである。中世世界はボスの中で至上の形式に達した。彼の絞首刑台、彼の拷問車、彼の火災、はてしなく地平線まで続く彼の武装した軍団は、ボスの中世がマルセル・シュオッブの見た中世ときわめて似ていることをわれわれに想い起こさせるであろう。ただし、疲弊した時代のピクチャレスクで残忍な光景を強調するシュオッブとちがって、ボスはむしろこれらの絵画に魂の普遍的な光景を明らかにし、それらを強調しているのである。一六世紀末にヒエロニムス・ボスの肖像画の下に記された数行のラテン語詩句は次のように語っている。

図5——ヒエロニムス・ボス
《聖アントニウスの誘惑》中央パネル
一五〇五〜〇六年
リスボン　国立古美術館

汝は何を想いしか、ヒエロニムス・ボス、
汝の驚きし眼は。なぜに
汝の顔を蒼ざめせしか、暗黒界《エレビ》から飛びきたる妖怪と幽鬼を
眼前に見しがためか。

このテクストは、われわれに思わず校訂を試みさせようと誘惑し'Erebi'（暗黒界）ではなく'Cerebri'（脳髄）と読ませようとする。ここでわれわれの眼にはたちまち、フロイトの先駆者としての衣裳をまとったボスの姿が見えてくるであろう。このことは逆説的に見えるかもしれないが、けっしてそうではない。ちょうどシャルル・ド・トルナイがボスに関する研究[☆7]の中で、彼の絵画に精神分析の光をあてて得た解釈からもたらされる成果のすべてが恣意的ではないのと同じように。というのも、まさにフロイトが夢を自らの精神分析の基礎としたように、ボスは夢や夢についての書物の註釈にもとづいて自らの絵画的概念を構想したのではないかと思われるからである。夢の素材は特定のひとつの時代にほかの時代より多いということはなく、夢は永遠不滅の形態であり、神秘的《ミスティカ》なものの幻視のようにたえずくりかえされる。

チャールズ・ラムが書いている一人の子どものこと（『エリア随筆』の中の「魔女たちと夜の恐ろしきものたち」）が想いだされる。この子どもは、迷信という汚れに染まらないように厳重に隔離され教育されたが、それにもかかわらず「次から次へと湧きでる空想のあれこれ」の中に、自らの内に厳重に隔離され続けてきた恐怖に満ちた世界をすべて見いだしてしまうのである。「ゴルゴン、ヒュドラ、キマイラ――セレノやハルピュイアの身の毛もよだつ物語――は迷信を信じる頭の中にくりかえし生産される。というのも、それらはもともと存在していたからである。それらは記憶に刻みこまれたものであり、ひとつの類型である。その元型はわれわれの内にあり、永久に存在する。そうでなければ、なぜ夢から醒めているときでさえ、現実のことではないとわかっている物語にわれわれは魅了されるのであろうか」。

ド・トルナイはこう述べている。「ボスの象徴は、自然の領域すべてに存在するもっとも根本的な四大元素という、もっとも日常的な対象から出発し、それらが絶えまない変容の恩恵に浴する。しかし、これらの象徴が示す幻想的な外観がわれわれを驚かせれば驚かせるほど、ものの見事にわれわれを真なる実在に触れさせる。純粋に想像力の戯れであるかのように見えながらも、これらの象徴は悪徳をある性格として具現している」（ところでこれは、シュルレアリスムのひとつの定義となりうると言えよう）。それはあたかも、『マクベス』の魔女たちが大釜の中の恐ろしくも猥雑な材料を並べ立てる冗長な口上の中に（第一幕第三場）、スコットランドの王位簒奪者の犯罪が怪しく投影されているのを、われわれが見るように。

ヒエロニムス・ボスはどのようにして脅迫観念に満ちた効果を生みだしたのであろうか。彼の主要な三連祭壇画である、リスボンの《聖アントニウスの誘惑》とプラド美術館の《快楽の園》が、われわれに彼の手法がいかなるものかを完璧に教えてくれる。なによりもボスの絵画では、現実の空間との関係が断ち切られている。彼の描く行進する妖怪たちは、あたかも次々と押し寄せてくる波頭の上に乗っているかのようにわれわれの眼に近づいてくる。彼の描く光景は遠近法による奥行きをもたず、いわば鳥瞰図として描かれている。《快楽の園》の中央パネル（図2）では、全体の光景は、細密写本を縁どる密集した装飾のようであり、そこに被造物が小さくうごめきながら広がっている。

われわれの眼の前にあるのは、一幅の綴れ織り、一個の吊り下げられた蜃気楼、女神マイアの広げられた一枚のヴェールである。非‐実在の感覚を昂じるために、いくつかの事物はほかのものに比べてけたはずれに誇張されている。大地に置かれた人間の頭はとてつもなく大きな兜のようである。ホラス・ウォルポールならばそれを、恐怖の念を植えつけるために自らのオトラント城に具えつけるであろう。巨大な牡蠣貝、異様なまでに大きなナイフ、一組の耳、梟の頭、竪琴、ハーディ・カーディ［リュートの一種］は、ひしめきあう悪魔や裸体の人間や動物たちの中でひときわ目立ち、われわれの眼を惹きながら、あらゆる視覚的な均衡の感覚を混乱させる。

さらに、あたかも夢が夢の上に幾十にも重なりあうように、またフォト・モンタージュのように、あるいはあらゆる種類の端切れでつなぎあわされたヴィクトリア朝の「民衆芸術《プァ・アーツ》の間仕切りのように、視点を全体と個という二つの部分に分裂させる。たとえば《快楽の園》の一角にいる鳥たちと人間という被造物との関係を見てみよう。これらの啄木鳥《きつつき》、川蟬、戴勝《やつがしら》、家鴨はおそらく、細密写本の一ページの縁に描かれていれば愛らしく映るであろう。ここでは、鳥たちと彼らに比べて身の丈が半分しかない人間が綯い交ぜられて、鳥たちは禍々しいものとして固定されている。

　さらに下の方では、一人の裸体の男が自分の胸の一部でもあるかのように大きな苺の実を支えている。またこの男のわきにいる、同様な姿勢をとる相反する色をした一組のカップル（白い男と黒い女）などは、現代のもっとも幻想に富んだシュルレアリストの顔色をなからしめるものである。そして、絵の上端に配された恐ろしいまでに大きな城館は、果物、甲虫類、鉱物、甲殻類、それらの触角の棘、半月状のもの、蟹の螯、珊瑚など、まさにこのような事物から構成され、あたかも追い風を一杯に受けて航行する帆船の帆のようにふくれあがり、火薬がつめられた砲弾であるかのようにわれわれを脅かす。

　この光景は、あたかも自然の大気よりもさらに魅惑的な媒体を通して、すなわち水槽の魚たちを包む光の中に映しだされているかのようである。そして水族館の内部のように、交錯する光のかもしだす色調は心地好く、たとえ奇怪な被造物をおおっていても、繊細なパステル画のように色調は和らげられている。ド・トルナイは次のように述べている。「《聖アントニウスの誘惑》の中央パネルにおいては、楽しそうな人間の集団と光景の中のさまざまなモティーフは、夢を構成する要素のように自在無碍にちりばめられ、あらゆる重量から解き放たれて、魔術的空間の法則にしたがっている。そこで唯一作用するのは、各々の事物を相互に惹きよせる力であり、そこでは建物さえもが水鏡に映っているかのように揺らめいて見える。架空の存在が密集するこの水族館の雰囲気をつくりだすために、ボスは大胆にも大気遠近法の諸原則に反抗した。彼はあえて画面の中央を、つとめて存在感の乏しいより冷たい色調、グレーあるいは銀色がかったグレーで満たしている。そしてその周囲をより暖かい、より重厚な色調で囲んでいる。前景の濃い暗褐色は両脇の板絵にも連続していき、赤みがかった暗褐色と海緑色が光景をおおっている。ボルドー・ワインのような真紅、濃いコバルトブルー、オリーブの緑、薔薇の赤、金そして白、これらの色の輝く光斑が、聡明なリズムによって配され、中性的なグレーの上で宝石のように燦めきながら戯れ、そしてこの異様な幻視《ヴィジオーネ》にあたかも祭礼のような華やかな性格を与えている」。

《快楽の園》では、その構成は豪奢なフライボワイヤン様式の綴れ織りのようなリズムをもっている。明るい空色、淡い薔薇色、オリーブの緑色は、輝きわたる甘美な反射の光によって優雅に戯れている。前景の牧歌的な男性と女性の集団には優美な身体と真珠のような皮膚とが与えられ、これらの集団は緋色の珊瑚がかたちづくる中心軸の周りで、間断なく組みあわされ、またひきはなされる。この画家はとくに、かぎりある生命を刻印された被造物たちの貴重さ、清明さ、滅びやすさをとくに表現したかったのである。

肉体と大理石はともに生命ある優美な素材でつくられ、すべてが晴朗で牧歌的な空気を呼吸しているかのように見え、さらに注意深く吟味すると、すべてに倒錯と拷問の表徴《セーニョ》が顕現してくるように思われる。アロエは裸の肉体に責め苦を与え、珊瑚は人間の身体を獄につなぎ、貝の殻も人間の身体をしっかりと上から締めつけている。そして、半月状のものと薔薇色の大理石の角をもつトロフィーを王冠として戴いた、滑らかな鋼鉄の球体ほど多義性に満ちた象徴は見いだされない。ド・トルナイは次のように述べている。「恐怖と幻惑的な美は、けっして分離することなく、苦悶と悦楽のはざまに生じる緊張状態を創出し、ただ夢だけがわれわれをその中に幽閉するのである」。

有名なオクターヴ・ミルボーの小説のタイトル『責め苦の園』（*Jardin des supplices*）にならって、『快楽の園』（*Jardin des délices*）というタイトルを響かせてみたくもなるであろう。この小説でもまた、鬱蒼とした未踏の森の中に絞首刑台と花々が入り混じっている。「これら責め苦の円柱の幹には洗練された悪魔的な姿をなして、軟毛の生えたカリステギアや、ダルリア産のイポメアや、ロポスパルメスや、コロシントの花々が、クレマチスやアトラゲンの中に混じり巻きついている。……鳥たちはそこで愛の歌の調べを整える」。

しかし、このような比較、とりわけシュルレアリスム芸術との比較は、心理学の領域にかぎるならばたしかに少しは有効であるが、一般的な芸術の領域ではほとんど支持されないであろう。したがって、現代のシュルレアリストたちがボスと同様の仕事をなしとげたと言うのは自由だが、けっして次のことを忘れてはならない。ボスはその追随者とは異なり、ロマッツォの古い論考（一五八四年）の言葉を借りて言えば、「ボスは、異様なものの姿や驚愕を呼ぶ恐怖に満ちた夢を実現することでは、特異な、そしてまさに神のごときであった」。

しかしながら、このような過剰なまでの幻想的なもの《ファンタスティコ》を前にして、ロジェ・カイヨワのように、とまどいが残ることもある。[☆8] 彼の眼には、このように集められた多くの驚異に満ちたもの《メラヴィリア》が、結局はある一貫性を構成しているように見えたのである。「これら驚異に満ちたものは、夢幻の魔力をある種の規範としている固定観念から生みだされる。これらは、あらゆる点で異例な宇宙の法則を描写するために、まさしくその場所に存在しなければならない」。もし周囲の正常な世界と幻想的な世界が対峙しなくなれば、その世界はもはや幻想的とは言えず、そこでわれわれは別の事物の体系に踏みこみ、そのただ中にいることになるのである。実際、ボスの世界は「体系的な」世界である。「つまりこの宇宙は、まさにかき混ぜられたあとのジグソー・パズルのように、逆しまにされ、切り離され、そして混ぜあわされたものとして出現し、その結果として異例なるものはもはやその固有の位置を失う。というのも、その宇宙はどこもかしこも、異例なるものに満ちているからである」。

ところがカイヨワにしても、当惑し戦慄を覚えざるをえないほど、多くの異例なるものに満ちたボスの絵画がある。それは《カナの婚礼（饗宴）》（図1）である。一見すべては正常に見えるのだが、よく観察する者には異常な様子が顕わになってくる。とりわけ背景の飾り棚の上には異様なものが並べられている。白い衣服をまとった一人の人物がその中のひとつのもの、すなわち女性の乳房を細い棒で指し示している。

ボスは秘密の言語で語ったのであろうか。謎めいたヒエログリフを用いて表現したのであろうか。〈グロリス〉や中世のグロテスク装飾を用いて、逆しまの世界の数々のイメージ――この奇矯なもの《ビッザリーア》のもっとも流布したモティーフのひとつは、狩猟者の姿に装いを転じられた野兎のモティーフであり、この表現は《快楽の園》の地獄のパネルの中に見いだされる——を用いて、彼自身が所属していたかもしれない異端の秘密結社の要請に応えて、ボスは自らの才能を奉仕したのではないであろうか。

ここでよく考えてみると、いったい《快楽の園》のような三連祭壇画はいかなる目的のために用いられたのであろうか。たしかに左翼パネル（図4）にはアダムとエヴァの創造が表わされ（だが、なぜ創造主が若きキリストの姿をしているのか）、右翼パネル（図3）には地獄が表わされているとはいえ、中央パネル（図2）に配されている群をなす裸体の人々は、けっして最後の審判を受けるために集められているのではない。同じ主題の絵、あるいは天国の至福を描いたフラ・アンジェリコの絵を想い起こすことで、われわれは「隅々まで」異なった世界にいることに気づくであろう。このような三連祭壇画がキリスト教の聖堂の祭壇に実際に設置され祈りを捧げられているのを想像しうるであろうか。

さて、ここでヴィルヘルム・フレンガーの論考がこの神秘を解き明かしてくれるかもしれない[☆9]。彼によれば、「たしかにボスの奇矯が体系的であったのは、〈自由心霊運動〉の一異端派の指導者から霊感を得ていたからである。そして中央パネルの右下隅にいる人物、唯一の着衣で表わされた人物がこの三連祭壇画の注文主であろう。彼はかしげた頭を左腕にのせた裸体の女性の上方に姿を現わしている。この女性は一種の巫女《シビュラ》であろう。口唇の上の封印から、隠された叡智の守護者とも、また右手にもつ林檎から新たなエヴァとも考えられる。両者は〈ピュタゴラス的〉な洞窟の中におり、その前に彼女を囲んでいるガラスの板が斜めに立てかけられている。その板には、五つの円がちりばめられ、それぞれの円の中心には徴がつけられている。そして、その円のうちの四つが、この女性の肉体の動脈の上に、すなわち右手首の脈、両肘、および首の動脈の上に置かれ、そして五番目は片方の乳房の上に置かれている（上・図2部分）」。

私はフレンガーの詳細な記述を引用したが、それはこの箇所が、彼のこの絵の長大な分析の中でもっとも代表的なものだからである。この絵のあらゆる細部を彼は、神学的、哲学的、そして化学的観念に照らして象徴的に解釈している。彼が用いた観念には、まさにボスの時代に流布していたものもあれば、後世のテクスト（ノヴァーリス、ヨハン・ヤーコプ・バッハオーフェン）に含まれているものもある。これらの観念はフィレンツェの新プラトン主義を特徴づけたキリスト教と異教哲学の混淆主義とはまったく相容れないものである。〈自由心霊運動〉については、ロマーナ・グァルニエーリの研究のおかげで、フレンガーが執筆した時代よりも現在では詳しく知ることができる[☆10]。〈自由心霊運動〉のことを、どこにでも見られる、背徳におちいった信仰運動のひとつだと決めつけてもなにも語ったことにはならない。それらは、ときどき良性のものもあるが、ほとんどは悪性のものが多いある種の流行病であり、それを表現する言葉は、ある人々（カトリックの正統派）の口から発せられるのと別の人々（異端）の口から発せられるのとでは、その意味するところはまったく異なる。「解き放たれた霊によって人は神と合一する」と、聖ベルナルドゥスは語った。〈神　化《ディフカティオ》〉をめぐる東　方《オリエント》の神学上の教義は、主にカタリ派によって西ヨーロッパにもたらされ、フィオーレの神秘主義者ヨアキムの信奉者たち、スペローニ派、アマルリコ派やそのほかの人々によって育まれた。〈自由心霊運動〉の信奉者たちのあいだでは、創造主の似像と類似の状態に到達しようとする過程は、どのように想い描かれるのであろうか。この過程は、正統であれ異端（スーフィ派）であれ、アラビアの神秘主義のいくつかの流れに近いが、このアラビアの神秘主義も一方では、インドの宗教の神秘主義的要素を同化したもののように思われる。

こうした神秘主義については、偉大なフランドルの神秘主義者ロイスブロークほど広範かつ細部にわたって解き明かし、心理学的にも神学的にも明晰な解説を加えた者はほかにいない。彼によれば、「信奉者こそ、己の本質が空虚で盲目でしかありえないという単純な事態の中に我を失い、己の本性を超越しようとはせず、そのまま至福に到達することを希求している。彼らはまことに単純であり、己の魂の純粋な本質そのものと一切の媒介なしに直接的に結合し、そこには自ずと神が顕現するので、外面的にも内面的にも彼らには、神への熱狂も系統もまったく感じられない。

というのは、彼らがこうして神との合一を体験する宗教的な極致においては、彼らは神という本質の中に吊りさげられ、もはや己の本質の単純な事態以外にはなにも感じないからである。こうして、彼らは己の単純な事態と神の絶対な単純な事態をとりかえ、その中で静寂そのものを享受し、そして己の単純な事態の奥底では己自身を神とすらみなしているのである。したがって、彼らには信仰も、希望も、真の慈愛も欠いている。そして事実、彼らは己が追い求め、獲得したありのままの空虚な状態においては、もはや知識も愛も所有しようとせず、あらゆる徳から解放されることを希求している。これらすべての結果として、彼らは、たとえどのような悪行をなそうとも、良心の呵責なしに生きようと努めるのである。彼らは、秘蹟やもろもろも徳や教会の儀式などすべてを顧みることはない。彼らは、教会が不完全な人間に与えるものすべてに優越しているので、そのようなものは己には必要がないとみなしているのである。……彼らにとって最高度の聖性は、あらゆることにおいて、いっさい拘束されることなく己のありのままの衝動に従うことである。それは、内面では悪へと傾く精神を保ちつつ安逸に浸りうるように、また外面では身体の欲望を満たし、肉欲をみたすようないかなる行為にもふけりうるように、想像力へとすばやく逃げさりうるように、そしていつでも好きなときに精神の安逸そのものへとたちかえりうるようにするためである」。ロイスブロークは一四世紀の終わりごろにこのように述べており、最後の部分はこうした行為に走った極端な人々が存在したことを示唆している。

〈自由心霊運動〉は二重の顔をもっている。敬虔でありながら悪魔的、高度に霊的でありながらいかがわしいほど放恣である。そして、これら二つの側面は互いに、それとはわからぬほど秘かにいれかわる。その主たるテクストは、マルグリット・ポレート（エノー伯爵領に一二五〇年ごろ生まれる）の『純朴なる魂の鏡』（*Miroir des simples âme*）で、その存在をフレンガーは見落としているが、まさに神秘主義文学の中でももっとも美しいもののひとつに数えあげるに値する。彼女に匹敵するのはシエナの聖カテリーナであり、あるいはジェノヴァの聖カテリーナであり、異端者の聖テレーズである。聖テレーズがマリーノ・ファリエーロ総督の胸像のように黒いのは、この敬虔な聖女が警告を受けて裁判にかけられ、そして最後まで屈しなかったために火刑の宣告を受け、パリのグレーヴ広場で一三一〇年六月一日に処刑（むしろ殉教であろう）されたからである。

いったい『純朴なる魂の鏡』はなにをわれわれに語っているのであろうか。神の前で自己を無と化した魂は、善行なしに信仰によってのみ救済される。こうした魂は、天上であれ地上であれ神が創った被造物の中にいかなる慰安も情愛も希望もいだかず、ただ神の善性の内にのみそれらをいだく。この魂はいかなる被造物にも乞うことも求めることもない。この魂は不死鳥《フェニックス》のごとく唯一無二の存在である。というのは、この魂は、愛の中で孤高の存在となり、自己自身で充足しているからである。恥辱も名誉ももたず、貧困も富も、安楽も苦難も、愛も憎悪ももたず、地獄も天国もない。この魂はすべてをもち、そしてすべてをもたない。すべてを知り、そしてすべてを知らない。すべてを欲し、そしてすべてを欲しない。このような魂が、その本性上避けることのできない、空の明るさ、火の熱、水の露、われわれを支える大地という四大元素を迎えいれることにどうして躊躇することがあろうか。このような魂は、人間がつくり神が創造した、その本性が必要とするすべてのものを用いる。そして、愛する者のもつ明敏さによって多くのものを包みこみ、またすべてを忘却するのが常である。

「愛は言う、私は神である。なぜなら、愛は神であり、神は愛だからである。そして、この魂は愛を有するがゆえに神であり、私は神性を有するがゆえに神であり、この魂はまさに愛ゆえに神である」。神は魂の中にあって魂の名を聖別し、聖なる三位一体は魂の中に住んでいる。魂が渇きを癒やす飲みものは、ただ三位一体だけである。この飲みものに無と化した魂は酔う。しかも、およそ人が口にするいかなる飲みものよりもそれに魂は酔い、至福にいたる。それは鷲のように熾天使《セルフィム》の翼を得て飛ぶ。そして魂が愛の炎と化す。それは神によって刻印された蜜蠟のごとく平安の内に憩う、あたかも吹き渡る風の上に聳えたつ山のごとく。不安と苦痛にほかならない美徳には別れを告げて、類い稀なるシトロンの精髄を味わうために海を渡る。マルタはとりみだしマリアは平安を手にする［『ルカによる福音書』一〇・三八～四二］。この魂は、肉体の悦楽を殺し、霊《スピリット》の意志を消滅させることによって、鋭い剣の刃先をとびこえたのである。

われわれイタリア人ならば、ヤコポーネ・ダ・トーディの同じような表現を連想するであろう。偶然であろうか、彼もまた〈自由心霊運動〉の幾人かの僧侶（とりわけエギディウス・カントル）のように日常的に町中を裸体で歩いた。エックハルトや「中世神秘主義のもっとも神秘的な詩人」ハーデヴィヒ、そしてヤコポーネの書いた文章は、とくに一二七〇年から一三一〇年のあいだに陸続と現われた〈自由心霊運動〉の諸テクストと照らしあわせてみれば、新たな容貌を呈する。つまり、この〈自由心霊運動〉はおそらく、ヤコポーネの言葉にしたがえば「古い革袋を破った」「新しい哲学」にほかならない。

聖キアーラはフランチェスコ会士ジョヴァンヌッチョ・ダ・ベヴァーニャに警告している。「注意されよ、注意されよ、兄弟、そも汝は高きにいると信じたもうが、堕ちぬよう、いかようにしても堕ちぬよう注意されよ」。グァルニエーリ女史が著わした〈自由心霊運動〉をその起源から一六世紀まだ仔細に綴った年代記の中の叙述で、われわれの眼前に迫る一連の異端者の行進は、フロベールが描写した『聖アントワーヌの誘惑』（*La Tantation de Saint-Antoine*）の中に集められた異端者たちの品位さえも貶めるほどである。そこには禁欲と苦行で一度は完成された者となりながら、捨てさったものをとりもどすために自ら望んでもとの状態に復帰することのできたシレジアのベギン会修道女たちから、襤褸の下に高価なリンネルをまとったシュヴァイトニッツの女修道院長たち、肉体の交わりを聖霊の営みとみなしたフラ・ドルチーノ、裸体の舞（いわゆる天上の舞）や、そしてちょうど現在でもブラジルの〈マクンバ〉に見られるような、イエスとマリアになぞらえた一組のカップルが主役となる儀礼の饗宴まで描かれている。しかしながら、このような逸脱にもかかわらず、〈自由心霊運動〉は（ショーペンハウアーが東洋と西洋の神秘主義者の対応について彼の議論を締めくくるときに用いた言葉を援用するならば）「魂の奇行あるいは愚行と判断するわけにはいかない」。「むしろそれは人間の本性の本質的な側面なのであり、その側面はその本性の傑出した状態を通してのみ、まれにその姿を現わすのである」。

実際、アダムのような無垢なる状態への回帰は〈自由心霊運動〉のひとつの特色であり、《快楽の園》の三連祭壇画の中央パネルに刻印されているとフレンガーはみなしている。それはまた、D・H・ロレンスの信条と相通じる特色でもある。そして『チャタレイ夫人の恋人』（*Lady Chatterley's Lover*）のあるエピソードのように、この中央パネルにも、われわれはフレンガーが述べるとおり、花で飾られた男根を見いだすことができる。このドイツの批評家によれば、地獄を描いた右翼パネルには運動に加わらない人々の責め苦が表わされ、中央パネルには快楽が、罪深いものではなく、それどころが左翼パネルに示された天国の無垢な状態への回帰として表わされている。中央パネルで地獄と境を接する部分では、いまだ躊躇しながらも入会を許された魂がこの門を通って迎えいれられる。パネルの上半分では騎乗する裸体の若者たちの勝ち誇った集団が生命の水の池の周りをめぐり、またその下の方では瀕死の一人の人間が安楽死をもたらす神秘の聖体を「巨鳥から」受けとり、こうして生と死は、両手で自身を支える逆立ちした者たちに象徴される、永遠の円環の中で結合している。これら騎乗する若者たちは本能の支配を象徴し、そして卵、蝶、魚の象徴がくりかえされ、この最後のものは至高なるキリストの象徴である。そして、並外れた大きさで表わされた華麗な鳥たちは、生命の担い手、再生への本能のエンブレムである。人物像を見ると、入会したばかりの者の頭にはなんの装飾も与えられていないが、その一方で会員たちは葉と花、あるいは果実という区別の徴《セーニョ》をもっている。中央の部分はおそらく純潔なる原初の愛を祝福しているのであろうが、しかしながら、そこには多義的な快楽の感覚が息づいており、まったく正反対の解釈をも可能にするほどである。

カステッリ[☆11]やジャック・コンブ[☆12]が主張しているように、〈新しき敬虔〉の神父ヘールト・フロート（別名大ゲルハルドゥス、一三八四年没）に、〈自由心霊〉の教義に追随する人々に対して闘い、さらに神秘主義のあらゆる改竄と歪曲に対して戦ったこの人物[☆13]に由来する信心会とボスが関係していたとするならば、あるいは正反対の解釈が可能かもしれない。コンブはこう述べている。「浄化された官能についての教義に見いだされる天国を（フレンガー）、あるいはウェルトハイム＝アイメスが近年提唱している[☆14]、煉獄を経て近づきうる一種の桃源郷に見いだされる天国を、なにゆ

ヒエロニムス・ボス
図6——《乾草車》中央パネル　一五〇〇～〇二年
マドリード　プラド美術館

えボスのこの絵画に求めなければならないのであろうか。これらの解釈は伝統的な解釈への反証とはならないように われわれには思われる（伝統的解釈では、一六世紀末からこの絵は《淫乱》あるいは《苺の絵》と呼ばれている）。われわれの 眼には、地上の楽園（すでに誘惑の罠が待ち伏せている）と地獄（魂の敗北の暗示に満ちている）とのあいだには、かの誘 惑者の甘い言葉に屈した偽りの生が表わされていると見えるであろう。それは《乾草車》あるいは、リスボンの《聖 アントニウスの誘惑》の中にすでに重要な表現として得られているひとつの観念《イデア》の帰結なのである」[☆15]。

いまや《乾草車》の中央パネル（図6）が、教会やもろもろの修道会にはびこる悪徳（貪欲や大食など）への諷刺で あることは疑いない。しかし《快楽の園》の中央パネルのヒエログリフは、われわれには倒錯と見える側面をもちう るとしても、カリカチュアであるとは確信できない。くりかえし現われる支配的な主題は、フレンガーが指摘したよ うに、より高次な愛、愛と生命の讃美である。もしフレンガーがここに発見した暗示の多くがそれを補完するために まったく異なった文化領域に渉猟する彼の才智の実を結んだものであるとしたならば――たとえば地獄のパネルの 中のハープの周囲にからみついた蛇にジョスカン・デプレがオランダの合唱曲に導入した装飾音符に対する諷刺を見 ることができるならば[☆16]――われわれはフレンガーの概括的な推論に異を唱えることができるとは思えない。そして おそらく『純朴なる魂の鏡』のテクストにもっとも合致するのは、《快楽の園》の中央パネルに表わされた形而上学 的な嬉遊に満ちた庭園である。「このような魂が、その本性上避けることのできない、空の明るさ、火の熱、水の露、 われわれを支える大地という四大元素を迎え入れることにどうして躊躇することがあろうか。このような魂は、人間 がつくり神が創造した、その本性が必要とするすべてのものを用いる」。

おそらく、この三連祭壇画の中でヒエロニムス・ボスは、自らの『被造物の讃歌』（*Cantico delle Crature*）を歌ったの である。

（一九六六年　[伊藤博明]）

一五世紀版ジョイス

かつて研究者たちはきわめて古いテクストをとりあげてその問題解明に懸命になったものであるが、今日では、新しいテクストを好んで研究資料とする傾向がある。それが良くないと言うつもりはない。たとえばジョイスの、数えきれないほどの謎めいた語句を解明するのに著者自身の証言を援用することができないとすれば、注釈者の誰ひとりとして今後も彼の語句の意味の本質に迫ることはできないであろうから。「ジョイスを求めて勤勉な作業《インダストリ》は花盛り」とはかなりまえに「ニューヨーク・タイムズ・ブックレヴュー」誌に載った記事の見出しである。ジョイスについて言うべきことはすべて言い尽くしたかに見えて久しい批評家の一団が去ったいま、やってきたのは注釈家という、細部にこだわるあの辛抱強い略奪者たちの一隊である。彼らはおおむねアメリカの大学教授であり、まるで蟻の作業《インダストリ》よろしく、藁蕊を一本また一本と運んでは『ユリシーズ』や『フィネガンズ・ウェイク』の膨大な注釈の山を築きあげているのである。読むのが難儀な作品『フィネガンズ・ウェイク』のコンコーダンスはすでに刊行の準備が調っているが、これはくりかえし使われた語彙ばかりではなく、それぞれの単語の音節一つひとつにいたるまでをも記載しており、作者が複雑に重ねあわせた言葉遊びへの手引きとして役立てようとするものである。「意味の重層《オーバートーンズ》」と題された項目では、テクストには合成されたり変形されたりして表わされてはいるものの、そこにもとのかたちが識別しうる英語の単語一つひとつをすべて分類しようという試みがなされている。印刷すれば一六〇〇ページにもなろうとするこの索引の制作者の名前はクリーヴ・ハート（Clive Hart）――「心臓破り」（cleave heart）と聞こえる――と言い、この名前もジョイス流の言葉遊びにうってうけである。

ところで、ほぼ全編がやはり奇妙な言葉で書かれ、的確な注釈がなされないまま今日にいたったという点で『フィネガンズ・ウェイク』に似ていなくもないルネサンス期の作品がある。『ポリフィルスの狂恋夢』（*Hypnerotomachia Poliphili*）がそれである。だが、ただしポリフィルスの〈夢〉は『フィネガンズ・ウェイク』のH・C・イアウィッカー氏の〈夢〉とはかなりちがって、はるかに素朴である（もっとも精神分析学者ならこれもおのが領分と、本領を発揮するであろうが）。この書物は刊行当時ほとんど評判にならなかった。これが生き残り陽の目を見たのは、ひとえに美しい木版画のおかげで、一四九九年のアルドゥス版が価値あるものとなったからにほかならない。イタリアよりも外国で反響を呼び、フランス語には二度翻訳された（二度目の翻訳はクラウディウス・ポプランによる一九世紀末のもので、今日までのところ、これが作品の困難な解釈に真剣に挑んだ唯一のものである）。また、デカダンス派の人びと――とりわけイギリスのウェインライト、のちにスウィンバーンやビアズリー――に評価されたが、「『ポリフィルスの狂恋夢』の、挿絵ではなく書物の本領に攻め入った者も、これまで誰ひとり文献学を武器とはしなかった。脱線と当て推量で楽しみながらこの書物を読めば、たしかに心は浮き浮きするし、おもしろいにちがいないが、しかしそれでは作品の学問的注解には役立たない」とは、いかにもそのとおりかもしれない。この記述は、M・T・カゼッラおよびG・ポッツィの著わした『フランチェスコ・コロンナ――生涯と作品』（*Francesco Colonna, Biografia e Opere*）二巻本の中にあり、この研究は、『ポリフィルスの狂恋夢』と、彼らがその作者と推定するフランチェスコ・コロンナとに捧げられている。☆1

この『ポリフィルスの狂恋夢』の著者はドメニコ会の一僧侶フランチェスコ・コロンナとされていたが、その根拠が薄弱であることも知られていた。作品の中にあるひとつの折り句の存在がその主たる根拠であったが、しかしながらこの節は推測の域を出ないとされていた。そしてフェリーチェ・フェリチャーノという別の人文学者がその生みの親として名を掲げられたのである。挿絵の作者についても、それをヴェネト地方のある画家ではなく、なんとベノッツォ・ゴッツォリであると主張した人（L・ドナーティ）までいたほどである。いまでこそ近年の研究の成果に照らして、それが一六世紀初頭にマルチャーノ手稿X・64を描いたのと同一の人物、おそらく細密画家のベネデット・ボルドーネであると結論できるのではあるが（図1・2・3・4）。一方、作者の僧侶の方は、乏しくしかも誤って解釈された資料をもとにできあがったその人物像がいかにも色褪せて漠たるものにと映るので、はたしてそのような男に、文学的に見れば、テーマも使い古され、結局は『薔薇物語』やペトラルカにさかのぼるペダンティックなものでありながら、言語学的に見るとたしかに創意工夫の仕掛けに満ちたこのような作品を創造する才覚がありえたのであろうかという疑惑を覚えないではいられない。当時としてのその巧妙さは、さしずめ今日のジョイスにも匹敵する。ギリシア・ローマ起源の古典語と当時のイタリア俗語の雅俗混淆体の短い例をひとつあげてみよう。★1

さる川を、金銀螺鈿の帆かけ舟、矢形舟何艇か、綺麗どころあまたを乗せて滑りゆくなり。さてもあだっぽくロングヘアをなびかせつつ、芳香ただよう花また花でその身飾りたて、いと美しきおなごらは櫂を漕ぐ。腰衣から胸あてからどれも素敵なひだひだ飾り。いずこも金ぴかの装いを凝らし、ヌードのニンフの神殿へとむかいゆくなり。

先に述べた二巻本は、カゼッラ女史の伝記的研究と、ポッツォの文献学的研究からなり、テクストの成立とその特徴については決定的な方法で、作者の人物像については相対的な方法で――とはいえそれまでになしうることのできた研究に比べればすべての面で正確さを増して――多くのことを明らかにしてくれている。二人の学者の手を携えた努力から生まれた新しい見解の中で、なにより興奮させられるのは、作者とされる僧侶がほぼまちがいなくバンデッロの物語のある登場人物のモデルであろうと特定されたこと、そして作者がひょっとして同一人物ではないかという推測が十分うなずけるほどに、主題も混淆体の言葉も『ポリフィルスの狂恋夢』に酷似した十一音節句三行詩節《テルツァリーマ》の小

[b 7v]

フランチェスコ・コロンナ著
ベネデット・ボルドーネ挿絵
『ポリフィルスの狂恋夢』一四九九年
図1——挿絵 b7v
図2——挿絵 d8v
図3——挿絵 k5v-56r
図4——挿絵 m5v

詩『デルフィルスの夢』（*Delfili Somnium*）が、アンブロジアーナ図書館の写本の中から発見されたことであった。もっとも矛盾する点もないわけではない。まず『デルフィルスの夢』の主人公は年齢が若いが、これは幼年期の回想であるとすれば問題はない。そして場所の設定もところどころロンバルディア地方となっているが、これもフィクションであるという説明でかたずけることはできるであろう。

　カゼッラは、フランチェスコ・コロンナをまず文書館や家系図に追い求め（「コロンナ」という姓をもつどの家系にこの僧侶が属するかを明らかにしようと努めるなど、なんともわびしく不毛な〈コロンナ一族の賛歌〉となっている）、生まれたとされる一四三三年に始まって、それからはるかに隔たった一五二七年七月のヴェネツィアでの死にいたるまでの細部を正確に把握し、伝記的図式を描くにいたった。そこでカゼッラの記述は一気に飛躍する。伝記史料から実に多くのことが判明したのである。まずこの僧侶が、ヴェネツィアのサンティ・ジョヴァンニ・エ・パオロ聖堂の修道院でコンヴェンツァル派修道士たちとともにフランチェスコ会の改革に反対する一派に属していたこと、そして修道院の戒律に逆らい良俗に悖る点で目立った存在であったこと、さらに彼が教師に任命されたのも教皇勅書《ベル・ブッラム》の許可によるものであり、大学での研鑽の賜ものではなかったことが判明した。そのころパドヴァ大学でなにより盛んであった修辞学や文法学の奥深く幅の広い学識の世界とは彼は無縁であって、作品中に披瀝されるさまざまな学識も独自の方法で身につけなければならなかったらしい。また雄弁の才に恵まれ、実際的な事柄にも明るい人物であったこと、聖具室係を務めるうちに、壺、布地、皿、そのほかあらゆる高価な品にほとんど偏執狂的な関心を深めたこと、おそらく建築か内装の仕事に携わったため一時期修道院の外に居を移す許可を得たこと（彼の手になるとされる唯一の作品、サンティ・ジョヴァンニ・エ・パオロ聖堂の聖具室のために設計された扉は現存していない）などが判明したのである。カゼッラは、こうしたことのすべてを発見したにとどまらず、コロンナがバンデッロの物語集第二部第四話の主人公その人であることを証明するために、説得力に富む論議を提出した。すなわち、「ヴェネツィアの僧侶フランチェスコはある女性を愛するが、彼女は別の男に恋していてその男にこの僧侶を殺害させようとしている。だが逆に僧侶が恋敵を殺し、しかも女まで死なせてしまった」という論議である。

　バンデッロの語る事件が起こったのは一五〇五年から一〇年のあいだと推定され、となるとその修道士はほぼ七〇歳であったことになる。「この事件をモラルの側面にかぎってみると」とカゼッラ女史は続ける。「背景ははっきりしないが、主人公の年齢はかさんでいるものの、これをコロンナ事件であると考えるのが的外れであると思う人はいないであろう。『ポリフィルスの狂恋夢』の内容から、修道士仲間が『少女を陵辱した』として彼を告発している後年、一五一六年の記録にいたるまで、彼の生活がおよそ清廉とは言いがたいものであったことを証明する事柄はあまりにも多い。バンデッロの物語に登場する修道士は、娘を手中におさめると、彼女に衣服を贈り、彼女の部屋を『とてもきれいな背もたれのついた椅子』で飾ってやる。これこそ『ポリフィルスの狂恋夢』の作者ならではの趣好を髣髴とさせ、いかにもコロンナ的である。物語の人物のなによりたしかな身分証明書とも言える」。恋敵を即座に殺してしまうというのは作者バンデッロの創作かもしれないが、細部のいくつか――たとえば立場が厳律派修道士《オッセルヴァンテ》ではなくコンヴェンツァル修道士であること、事件当時修道院の外に住んでいたこと、教師の資格があること（バンデッロの僧侶は総督《ドージェ》アンドレア・グリッティの家の文法教師）などは事実そのままである。

　コロンナに新しい光をあてた二人の研究者のもう一方はG・ポッツィであり、彼は『ポリフィルスの狂恋夢』の語彙を徹底的に分析したうえ、さらに『デルフィルスの夢』を発見し、それを刊行するという業績を残した。コロンナに考古学や建築学の知識があったことについては多くが語られてきたが、『ポリフィルスの狂恋夢』第二部の最後に記された謎めいた「一四六七」という数字がこれの書かれた年であるとして、彼をルカ・パチョーリやデューラーの先駆者と断言するものまでいた。しかしこの第二部には、第一部に見られる豊かな人文主義的教養も、建築上の問題や考古学的主題への関心も認められない。明らかにこれは第一部より以前に書かれたものである。第一部が、レオン・バッティスタ・アルベルティの『建築論』（*De re aedificatoria*）の刊行（一四八五年）以前に書かれたことはありえない。コロンナは建築の知識を、アルベルティやウィトルウィウスから、そして多少はフィラレーテの書物から、あるいはマンテーニャやピエトロ・ロンバルドによる古代遺跡や考古学的遺物の忠実な模写から推測したのであり、古代遺跡を自ら直接調査したことはまずありえない（昨今の批評家の中にまで、コロンナがローマを旅して遺跡を巡り歩いたと想像をたくましくする者がいるが）。一方、語彙について彼は、一四八九年に印刷されたニコロ・ペロッティによるマルティアリスの厖大な注釈本『豊饒の角』（*Cornucopiae*）を大いに利用している。

コロンナに認められるイタリア語［俗語］文学の伝統は、イメージや定式からするとペトラルカを、テーマからするとマイナーな面でのボッカッチョ（小品『アメート』や『フィローコロ』の作者として）を思わせるものであるが、その一方で彼は、たとえばポリツィアーノやエルモラオ・バルバロという人文主義者の時代を経て爛熟の極みに達し、もはや腐敗すらしつつあった俗ラテン語文学の伝統に防腐処理をほどこそうとしたのである。俗語文学と俗ラテン語文学というこの二つの伝統を、彼は、妥協というかたちではなく、当時の幾人かの文学者（とりわけカヴィーチェオ）にもどこか似たところはあるものの、いずれの流派にも入れることのできない、そんな不協和音をともなった、なにものにも抑制されることのない力業で結びつけようとした。コロンナの作品は、ジョイスの作品同様、混淆体をとっている。「熟慮の末にポッツォがひきだした結論は」くりかえし引用する価値がある。「彼の語彙から生まれたのは、イタリア語［俗語］の語幹とラテン語の屈折語尾の混淆《コンタミナツィオーネ》である。すなわち彼の建築物は古代と一五世紀の混淆なのである。また、彼の建てた記念碑は、古典古代に存在したきわめて異質な記念碑を混淆したものである。彼の典礼はカトリックの儀式と異教の儀式を混淆したものである」。のちにジョイスもおこなうように、コロンナは語彙に、また細部に狙いを定めたので、全体像は視野から失われている。彼のシンタックスは、運動失調症を患っていて、自らの動きをコントロールすることができない。その結果、彼のページはまるで派手さだけが目立ち、全体の構図の崩れた硬石象嵌細工《ピエトロ・ドゥーレ》のような姿をしている。そこには有機的な運動性もなく、硬石象嵌細工のまばゆい不動性があるのみである（図5）。そして彼が、アプレイウスやプリニウスばかりでなく、ラテン文学のはるか彼方にまで凝りに凝った語彙を狩りにでかけたのは、まさしく碑銘を彫る石工にも似た情熱にかられてのことであった。たとえば、

図5――コジモ・カストゥッチ《橋と教会のある風景》ピエトレ・ドゥーレのモザイク　一五九六年
ウィーン　美術史美術館

水の精《ナイアス》の名を地名と勘ちがいしたり、地名を神の名と誤解するなど、しばしば意味をとりちがえて、語彙のケンタウロス［半人半獣］やセイレーン［半人半鳥］をつくりだしている。『ポリフィルスの狂恋夢』にも『デルフィルスの夢』（これも典拠は『ポリフィルスの狂恋夢』と同じであるが、その使い方は独自の方法をもっている）にも、真の意味での叙述はなく、事物や肉体の個々の記述があるにすぎない。女性は外側から、人格としてではなく物体として、まるで建築物か装飾品であるかのように眺められている。『デルフィルスの夢』は、描写が冗漫で、愛される女性の美しさも、もったいぶったフィレンツェ風のストリップティーズさながらに描きだされている。ただ一箇所だけ、多少は優美とさえ匂うところがある。そこで作者は、恋する男の気持を高揚させたり沈ませたりするために、あれやこれやと色の異なる衣裳を女性にまとわせる。布地が高価で、母から娘へと代々衣裳が受け継がれていった当時としては、およそ考えられないファッション・ショーがくりひろげられる。

昨日は白で、今日は黒、

………

明日は羚羊色と真珠色、
波打つ、艶やかな絹、
そしてその明くる日はめったにないほど素敵な海の色の服。

かと思うと別の日には、それはしょっちゅう見せつけられたけど、
ぼくの眼に蒼ざめた死の色を塗りたくる。
ぼくの望みをなにもかも、消してしまおうとでもいうように、

あるときは真面目くさって、あるときは悪戯っぽく、
あの娘は暗く沈んだ色の服を着て、
喪服を着たみたいに悲しそうにしている。

彼女が純白の服を脱ぐのは、
僕の熱い想いが裏切られた証拠。
そうしてあの娘は青い服を身にまとう。

………

おや、今度は真っ赤だぞ、
緋色と深紅に装って、
まるでユノーのような堂々たる貫禄。
………
もう諦めかけたぼくの想いをまた引き寄せようとして、
貂みたいな黄金色の衣裳であらわれて、
瞳を愛の炎で燃やしていることもある。
………
色が変わるとそのたびに、新たに
想いや情熱が湧きおこる。
それはいつまで経っても同じこと。

こんなふうにフランチェスコ・コロンナは、融解していきつつあったラテン語を織りこんで思いもよらない混淆語がびっしりつまった独自の言葉をつくりだし、その奇矯な万華鏡ごしに、世界を、「崇められているが、しかしあからさまに曲解された古代世界」を、見ていたのである。

（一九六一年［白崎容子］）

ルネサンスといくつもの再生

私は、ある若いアフリカ人――ガーナ人――が、われわれヨーロッパ人が昨日まで創出者であると信じていた諸発見についての先駆性を主張している、という話を聞いた。〈運命《フォルトゥーナ》〉の車輪はおそらく彼らの「私は支配するであろう」（Renabo）へと回っており、その一方で、われわれは憂鬱な「私は支配した」（Regnavi）へと降っているところなのであろう（図1）。ユネスコが準備した『人類の科学的・文化的発展の歴史』（*Storia dello sviluppo scientifico e culturale dell'Umanità*）について、私がたまたまおこなった考察（『イル・テンポ』一九六〇年三月一三日）は、そのことを証明しているように思われる。

われわれヨーロッパ人、そしてとくに、われわれイタリア人が近年、突き崩された栄光の中には、かつて一九世紀の老いた歴史家たちの尽力によって、古代ギリシアに比肩するとされたルネサンスがまさに見いだされる。一方で、シャルルマーニュ［カール大帝］の時代と一二世紀には、ルネサンスに対する絶対的な先駆者という地位が認められている。他方で、かつては議論の余地のないように思われていた、晴朗と完全性という特徴がルネサンスから否定されようとしている。すなわち、このような外部と内部から集中砲火を浴びて、ルネサンスの神話は崩壊せざるをえないのであろう。それが崩壊したとみなしたのは、卓抜した研究者のC・S・ルイスである。彼は、ケンブリッジ大学の中世・ルネサンス英語講座の就任演説において、彼の学問領域の二重の称号［中世・ルネサンス］から勇気を得て、

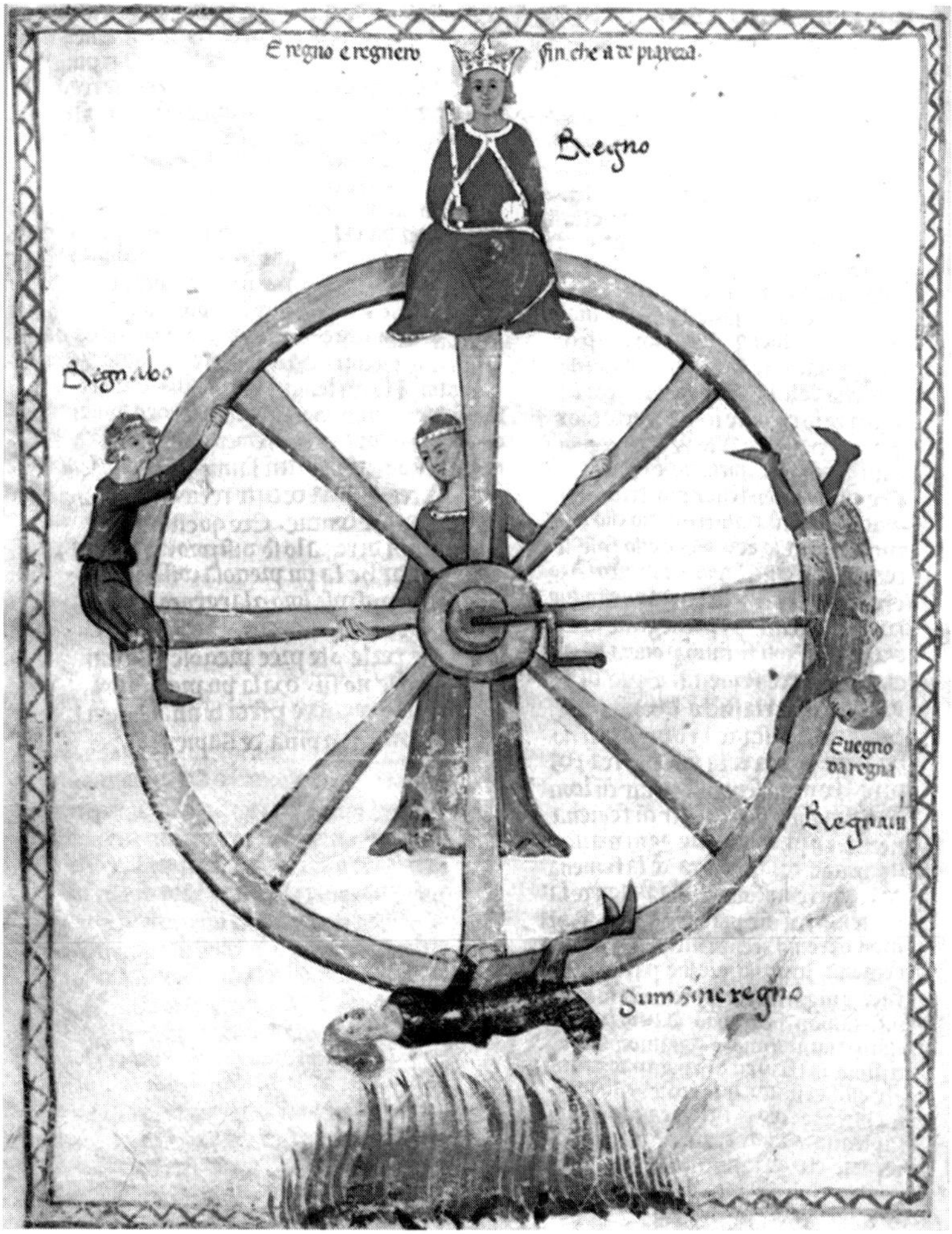

図1――〈運命の車輪〉
『ラテン語説教集』 リグリア 一五世紀 パリ国立図書館
（時計回りに）「私は支配する」「私は支配した」「私は支配権の外にある」「私は支配するであろう」

中世とルネサンスという二つの時代のあいだには、かつて考えられていたような乖離は存在せず、それどころか、その乖離とは「人文主義的プロパガンダの思いつき」でしかないという確信を披露した。

このようなルネサンス自体を消滅させようとする極端な見解や主張が生じるならば——別の有名な場合のように、すなわち「シェイクスピアはベイコンと同一人物であったのではないか」、そして冗談とはいえ、「ナポレオンとはひとつの輝かしい神話にほかならなかったのではないか」という問に生じたように——後戻りして考えるしか方法はなく、そして、このごろはあまり想い起こされることのない、イタリア語版『ブヴァールとペキュシュ』（*Bouvard et Pécuchet*）［フロベール作］と言うべきジーノ・ビアンキの『人生と性格に関する結末』（*Risultanze in merito alla vita e al carattere*）において、かつてピエロ・ヤイエルが叫んだ機知にあふれる「源泉は顕現し、そして源泉は隠滅する」という、よく知られた盛衰観に身を委ねるしかない。

エルヴィン・パノフスキーは『西洋美術におけるルネサンスといくつもの再生』（*Renaissance and Renascences in Western Art*）においてこう述べている。[☆1]「この半世紀のあいだに、近代の歴史記述においてもっとも激しく闘われた論争のひとつは、ルネサンスという問題であった」。

この書ではさまざまな問がなされている。第一に、一四世紀の初めの半世紀にイタリアで生まれ、一五世紀にその古典化への傾向が造形芸術にまで拡張し、ついでヨーロッパのほかの地方の文化的活動のすべてにその痕跡を残したと言われる「ルネサンス」という現象ははたして存在したのであろうか。第二に、もしこのようなルネサンスの存在を証明することができたとしても、一般に認知されている、中世のあいだに起こったいくつもの再生からルネサンスを区別させるものはなになのであろうか。これらの再生はすべて、それらの度合いにおいてのみ、あるいは構造においてのみ互いから区別されるのであろうか。換言するならば、われわれが、中世のさまざまな再生（rinascenza）が小文字の“r”だけによって表わされるのとは対照的に、ルネサンス（Rinascimento）に唯一のものとして大文字の“R”を割りあてることは正当化されうるのであろうか。

バルザックが――そう思われるのであるが――「ルネサンス」（Renaissance）という言葉を『ソーの舞踏会』（*Le Bal de Sceaux*）において最初に用いたとしても、またヴァザーリが一六世紀半ばに「再生」（rinascita）について最初に語ったとしても、しかしながらたしかに、数えきれないほどの証拠によれば、一四世紀から一六世紀にかけて、人びとは新しい時代に生きていることを確信していた。そしてこの確信は客観性を有し独自の特徴をもった「革新」（rinovatio）として受けいれられたのであろう――たとえその確信が幻影であったことが今では証明されうるとはいえ。しかし、この時代に生きていた人びとにおいては事情がまったく異なっていた。というのは、ある分野においては、当時の人びとは先行者たちに依存していることを認識していなかったが、ある分野においては、彼らは自らに帰属している絶対的な優先性を誇ることもなかったからである。そして結局彼らには、必死になって、ジョンソン博士がバークリによる物質の非実在性についてのテーゼに反論するためにやむをえずおこなった「石を蹴り飛ばす」というような陳腐な行動［サミュエル・ジョンソンは、足下の石を蹴り飛ばすことによって物質の存在を証明し、バークリの観念論に反駁したと伝えられる］に類した議論に訴えることしか残っていなかったのである。

そして、パノフスキーもまた、同様な議論に訴えている。彼は、ローマ時代に建てられたパンテオン（図2）を一方では一二五〇年頃に建てられたトリーアのリープフラウエン教会（図3）と、他方では一五五〇年頃に建てられたパッラーディオのロトンダ（図4）と比較するように、とうながしている。その相違にもかかわらず、パンテオンとロトンダの建造物の各々がトリーアのリープフラウエン教会と共通しているものよりも、ロトンダがパンテオンと共通しているものが多い。このリープフラウエン教会とロトンダは三〇〇年ほど離れているが、一方、パンテオンとその教会は一一〇〇年以上も離れているにもかかわらず、である。さすがに愚鈍な頭の持主もこう結論しないわけにはいかないであろう。「なんとまあ、一二五〇年と一五五〇年のあいだに何か決定的なことが起こったにちがいない」。こうして、ルネサンスをめぐる二つの問の最初について、すなわち、「ルネサンス」という現象の存在について肯定的に答えることができるのである。それでは、二番目の問に移ることにしよう。すなわち、ルネサンスをそれに先行

図2――パンテオン　一一八年　ローマ
図3――リープフラウエン教会　一二五〇年頃　トリーア
図4――パッラーディオ「ロトンダ」　一五五〇年頃　ヴィチェンツァ郊外

した、外面的には類似している中世のいくつかの再生から分けるような、たんなる量的な差異とは区別される質的な、あるいは構造的な差異は存在するのであろうか。

これらの古代的なものへの回帰は最初、シャルルマーニュのもとで起こり、それは、政治的かつ教会的な制度において、美術と文学において、暦において、そしてとくに書字と言語において、「再び革新された黄金のローマ」(aurea roma iterum renovata) という理念によって導かれていた。カロリング朝の建築家たちはコンスタンティノス帝の時代の建造物を自らの模範とみなし、シャルル二世の書記であり、かつひとかどの文献学者であったフェリエールのルプスはキケロの荘重さを自らの理想とし、当時の装飾芸術はローマ時代のモティーフと初期キリスト教時代の付加的要素を再びとりあげた。オボロ［饅頭繰形］、パルメット［棕櫚の葉を広げた文様］、葡萄の枝、アカンサスが、メロヴィング朝美術のからみあった抽象的なリボンや図式的な動物モティーフにとってかわられた。人間の形象を表現するさいに真実らしさが求められた。こうして、カロリング朝のいくつかの写本は、ポンペイの絵画やローマ時代のスタッコ［化粧漆喰］装飾に類似した雰囲気をたたえている。

しかし、このような古代的なものへの明確な回帰は実際的な目的を追求するものでもあった。すなわち、シャルルマーニュはひとりの自動車整備工のようにふるまい、自分の手にしている自動車が可動しないことを発見して、別のより古いが、しかるべく油をさすならばきわめて良好に可動するようになる自動車を求めたのである。しかも、このような復興は宮廷が仕切っている社会的環境の内に限定されていたのであり、八七七年にカール禿頭王が逝去するとともに終焉を迎えた。そののちの一〇〇年間は、いわば無文化の砂漠がヨーロッパをおおいつくしたのであり、ようやく一一世紀の半ばすぎになって、ドイツではオットー朝の再生が、そしてイギリスではアングロサクソンの再生が起こった。しかし、これらの再生を、古典古代を復興しようとする一致した努力によって特徴づけることはけっしてできない。それらが眼を向けた模範はむしろ、初期キリスト教、カロリング朝、ビザンティンの模範であった。

それからまた一〇〇年が過ぎて、一一世紀の末期に、今度は地中海沿岸の諸地方（フランス南部、イタリア、スペイ

ニコラ・ピサーノ
図5――《マギの礼拝》 一二六〇年
ピサ 礼拝堂

ン）において、別の古典的源泉へ回帰しようとする運動が起こり、それは一二世紀の「前・再生《プロト・ルネサンス》」（proto-rinasenza）として知られている。われわれイタリア人には良く知られているエピソードは、シチリア王フェデリーコ［フリードリヒ］二世が望んだ、美学的というよりも政治的な動機による古典的様式の復興である。しかしそこには、フランスのゴシック様式の流入が随伴していた。そして、この文化の十字路から、中世の古典化のもっとも偉大な芸術のひとつである、ニコラ・ピサーノの作品（図5）が生まれた。彼はトスカーナ地方に、イタリア南部の「前・再生」を完璧に伝えたが、一方トスカーナ地方では、シチリア派の詩の芽が、新様式として完全に開花しようとしていた。この「前・再生」は南方から広まっていった一方で、北方（フランス北部、ブルゴーニュ、低地地方、ドイツ西部、イギリス）からは、「前・人文主義的」（proto-umanistico）運動が展開していった。その熱烈さはとりわけ、註釈をほどこされ道徳書〔『教訓版オウィディウス』〕に翻案されたオウィディウスのはかりしれない成功と、ローマやトロイアの歴史とアレクサンドロス大王の事績を主題とする大量の文学作品の存在によって証される。

しかしながら、中世における古典的な影響について語るとき――それが盛期中世であれ後期中世であれ――パノフスキーが「分離の原理」と呼んでいる現象を考慮に入れる必要がある。すなわち、ある芸術作品がその形態において古典の模範から想を得ている場合、この形態はいわば不変的に、一般的にはキリスト教的な意味をまとっている。一方、ある芸術作品がその内容において古典的な詩、伝説、神話、歴史から想を得ている場合、この内容はいわば不変的に、非古典的な、通例は同時代的な形態において表わされている。したがって、この中世の「前 - 再生」において、古典古代はそれがとりいれられうるために、いわば形態と内容が切り離されたのである。この切り離された二つの要素は、イタリア・ルネサンスになってようやく再統合されたが、このことが起こる以前は、中世芸術における古典的傾向のうねりを線描的に表現することができた波状の曲線は、すべての地方においてほぼ直線と化していた。中世の二つの再生は限定的なものであり、一時的なものであった。それとは反対にルネサンスは、常時的なものとなり、全体的かつ永久的で、先行する二つの再生とは度合いだけでなく、また構造においても異なっていた。

とりわけ、ルネサンスが古代性を眺める観点は中世とは異なっていた。中世においては、古典的な資産は自らの文化の増強材として、しかしまたキリスト教的には危険なものとしてみなされていた。この態度は、のちにメリメが『イルのヴィーナス』（*Vénus d'Ille*）で注目したウェヌス像についての伝説〔青銅像のウェヌスの指に結婚指輪をはめた主人公は、彼女に魅入られ、新妻の眼前で、彼女に抱かれ圧死する〕において巧みに表わされている。それとは反対に、ルネサンスの人びとは歴史的な遠近感を欠いており、彼らは古代性を、郷愁の念をもって偶像化するあまり、それを自らの理想として投影するほどであった。換言すれば、古代的なものについての中世の概念はまったく具体的、実践的で、かつ不完全で変形したものであった。一方、ルネサンスにおいて発展した新しい概念は包括的で首尾一貫してはいたが、ある意味で抽象的なものであった。

図6——アルノルフォ・ディ・カンビオ《聖母子》 一三一〇年頃
フィレンツェ 大聖堂付属博物館

ルネサンスの最初の光明は絵画において照らしだされた。アルノルフォ・ディ・カンビオ（図6）とニコラ・ピサーノは直接的な後続者を得ていなかったが（ジョヴァンニ・ピサーノはゴシック的な意味での反動を示した）、その一方で、チマブーエ（図7）にジョットが続き、そしてジョット（図8）はフィレンツェから、またドゥッチョ（図9）はシエナから境を超えて流派を形成した。それ以降、画家はもはや、自らの心にいだいている理想的な像にもとづいて描くのではなく、周囲の現実が彼の眼に刻印したものにもとづいて描いた。ここにはじめて、絵画的空間が創出された。というのは、古代の人びとにはある種の遠近感が欠けており、連続と無限という概念が把握できていなかったからで、それゆえ彼らの世界観は安定せず一貫性もなかったのである。シエナでは、ピエトロとアンブロージョのロレンツェッティ兄弟が、正確な遠近法的構成を達成しようとする企図においてだけはなく、また空間それ自体の表現においてもまた壮大な進歩をなしとげた（図10）。一四世紀のイタリア絵画の影響はとりわけ、ボヘミアとフランスにおいて感じとられた。フランス人たちは、より知的で幾何学的なフィレンツェ人たちに先だって、抒情的で商業感覚に富むシエナ人たちを理解した。そして続いて彼らは、国際ゴシック様式と呼ばれる、優雅で技巧的な様式を展開させ、それはまたイタリアにおいても人気を博すことになった。

この古代性からの新しい出発から、この零地点から、真正のルネサンスがイタリアで、建築と彫刻において始まったのであり、これらは古典的な理想から想を得ていた。一方、画家たちにおいては、真実らしさへの回帰に存していた、

図7——チマブーエ
《聖母子、フランチェスコ会士、ドメニコ会士、二人の天使》
フィレンツェ　ウフィツィ美術館

図8――ジョット・ディ・ボンドーネ
《オニサンティの聖母子》一三〇〇年代第1四半世紀
フィレンツェ　ウフィツィ美術館

図9――ドゥッチョ
《マエスタ（荘厳の聖母）》　一三〇八～一一年
シエナ　大聖堂付属美術館

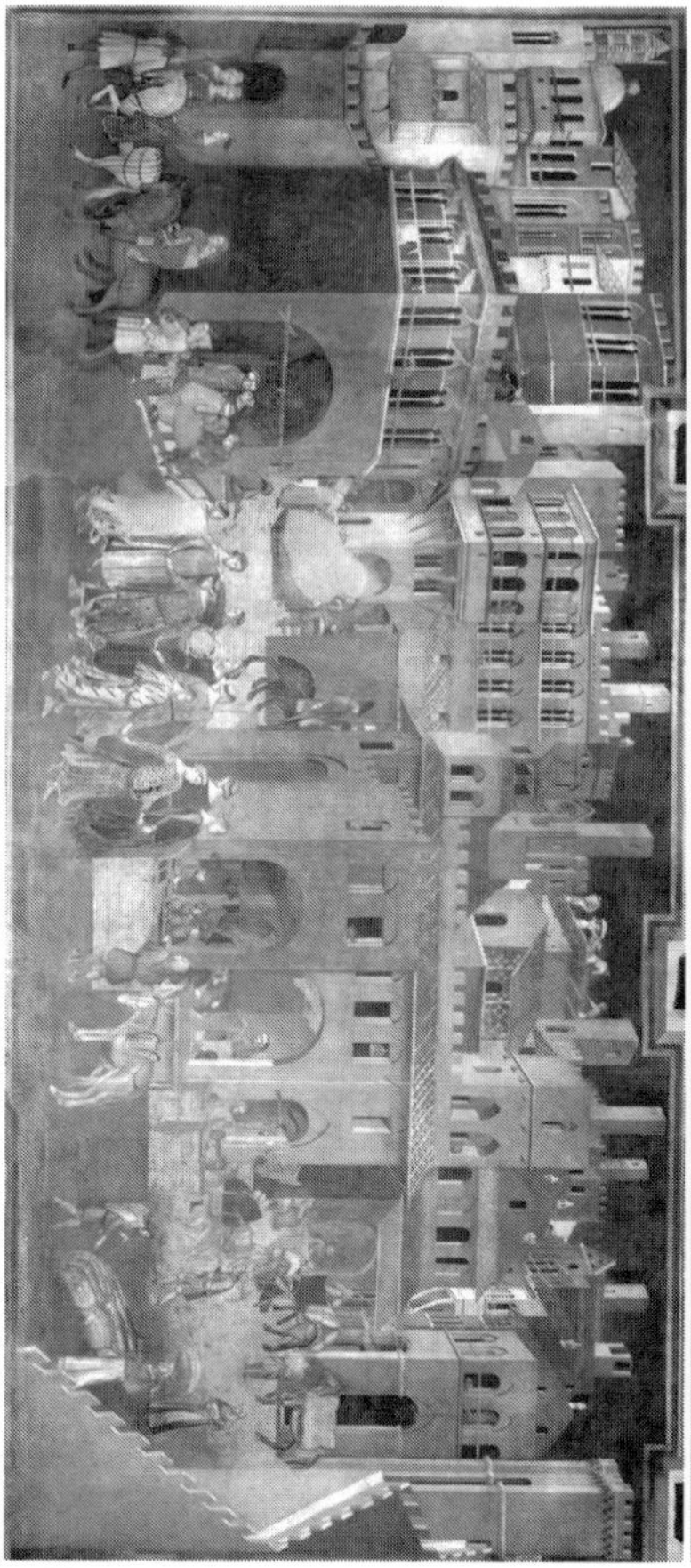

図10――ロレンツェッティ兄弟
《善政の効果（部分）》　一三三八～四〇年
シエナ　市庁舎

図11――
マゾリーノ
《エヴァと蛇》 一四二〇〜二七年
マザッチョ
《楽園追放》 一四二〇〜二七年
フィレンツェ
サンタ・マリア・カルミネ聖堂
ブランカッチ礼拝堂

図12――ドナテッロ
《ダビデ》一四〇九年
フィレンツェ　バルジェッロ国立博物館

図13――アンドレア・マンテーニャ
《パルナッソス》一四五七年
パリ　ルーヴル美術館

図14――ポッライウォーロ
《聖セバスティアヌスの殉教》一四七三～七五年
ロンドン　ナショナル・ギャラリー

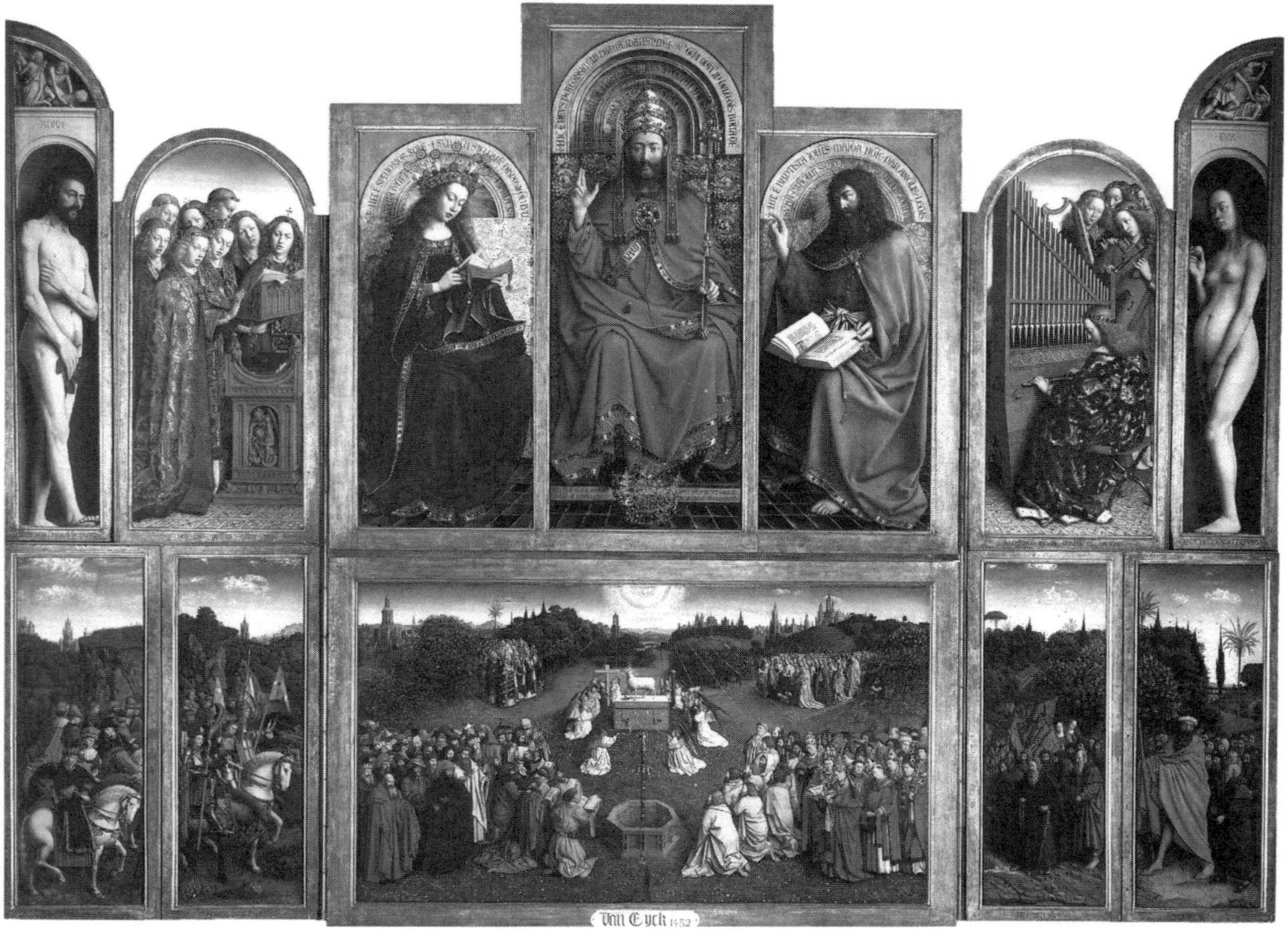
Van Eyck

図15——ヤン・ファン・エイク
《ヘント祭壇画》 一四三二〜三五年
ヘント シント・バーフ大聖堂

図16——ロヒール・ファン・デル・ウェイデン
《十字架降下》 一四三五年頃
マドリード プラド美術館

図17――ラファエッロ・サンツィオ
《アテネの学堂》一五〇七年
ヴァティカン　ラファエッロのスタンツェ

図18――ミケランジェロ・ブオナローティ
《アダムの創造》一五一一年頃　システィーナ礼拝堂天井画
ヴァティカン　システィーナ礼拝堂

図19――《ラオコオン》前四二～二〇年頃　ヴァティカン　ピオ・クレメンティーノ美術館

図20――《ベルヴェデーレのアポロン》ギリシア時代の原作にもとづく模刻　二世紀頃　ヴァティカン　ピオ・クレメンティーノ美術館

「再生」の別の側面が優勢であった。マザッチョ〔図11〕において、古代の遺物の研究によって示唆された要素は疑わしく、あるいは重要性に乏しい。ドナテッロ〔図12〕においてさえ、古典化しようとする衝動は、彼の熱狂的な自然主義を常に考慮に入れなければならないであろう。彫刻においてはすぐに、自然への回帰と古典的なものへの回帰のあいだの均衡が達成されたが、絵画においては、古典的な理想が絵画の登場人物へ拡張されていく過程はマンテーニャだけによって実現された。

しかし、マンテーニャ〔図13〕もポッライウォーロ〔図14〕も、「自然への回帰」という要素が支配的であった北方ルネサンスの影響に無関心というわけではなかった。ただし、ヤン・ファン・エイク〔図15〕とロヒール・ファン・デル・ウェイデン〔図16〕は、彼らの個別的なものへの熱烈な趣好において、必ずしも優雅というわけではなく、非規則的であったものをもきわだたせていた。反対にイタリア人たちは、次第に普遍的な要素を強調することを求めるようになった。そして、そのために彼らが望んだのは、古典的な模範の例だけではなく、また新プラトン主義という法外な知的資産であった。この新プラトン主義は人文主義者に神学との和解をうながし、科学者に形而上学との、道徳学者に「人間の弱さ」との、そして社会生活を営む男性と女性に宗教的な「霊的事柄」との和解をうながすものであった。

こうして、イタリア美術は、理想的で、普遍的な世界の静穏さを表わすものとして要約されることになり〔ラファエッロ〔図17〕〕、そして、たとえ闘争と苦痛を表現しようとしたときでも、そこに英雄的なものが残ることになった〔ミケランジェロ〔図18〕〕。しかし、この過程において、イタリア美術においていかなる犠牲が払われたのであろうか。

われわれのあいだで、ラオコオン〔図19〕、ベルヴェデーレのアポロン〔図20〕、そしてほかの古典的彫像が獲得した過大な評価について嘆いた者がいた。それらは、かつてヴァティカン宮においてもっとも驚嘆されていたが、現代では、ピオ・クレメンティーノ美術館の中でもっとも退屈なものとなっている。ところで、ルネサンスにおけるプラトンの普及者たち〔『プラトン全集』を翻訳したフィチーノらプラトン・アカデミー会員とその後継者たち〕がイタリア美術にもたらした悪しき影響のすべてについては、いったいだれが語るのであろうか。

〔一九六一年〔伊藤博明〕〕

逆光のルネサンス

歴史的探究の深化はわれわれを常に真理のすぐそばまで、あるいは少なくとも、永久に妥当なものとして受け容れうる、明らかに真理に近い段階まで導くにちがいないであろう。このことがある領域において、たとえば、考古学的発見の領域において起こるということは否定できない。ブラマンテ、あるいは彼に近い後続者たちに由来する、ローマの再構築された建造物の素描の一巻を通覧する機会を得た者は、再構築者を自称する者たちの空想に満ちた無知に微笑みを浮かべるであろう（図1）。彼らはローマ古典期の神殿と邸館を、パヴィア修道院（図2）風の荷を積みぎたルネサンスの建築、そして北欧の降誕図の背景に置かれている夢想の建築の構成物として見ていた。少なくとも現代のわれわれにはそのように思われる。

しかし、つけくわえるのもよけいなことであろうが、その建造物を素朴に素描した者にとってはたしかに、そのように思われてはいなかった。この者はその当時、古代の人々の趣好の、信頼しうる推測図を提供したと信じていたのであるが、彼がそれを実際に提供したわけではない。つまり、彼の解釈は同時代の趣好を記録しているという価値だけを有しているのである。反対に、もしわれわれが前世紀におこなわれた、ギリシアあるいはローマの建築の再構築をとりあげてみるならば、細部の不正確さを発見するためには熟練した考古学者である必要があろう。そして、場合によっては、現代の熟練者もなにも告げるべきことを見いだすことができないであろう。

しかし、われわれの認識を深化させていっても、なにひとつ決定的なことをうちたてることができない領域が存在している。考古学的再構築という問題は、ある時代の精神的風土《クリーマ》、焼き印《テンプラ》の再構築に比べればはるかに複雑ではない。ある建造物の一部は、ある情感の陰影よりも容易に統合することができる。ある古代都市の地図は、ある文明の雰囲気《アトモスフェーラ》よりも復元しやすい。後者の場合、われわれは、ときおり一致することがあるものの、よりしばしば矛盾する膨大の証言にもとづいて対処しなければならない。そして、われわれがある諸事実のグループよりも別のグループを重視するにしたがって、過去の精神的風土はわれわれに異なる色彩をともなって現われる。ところで、諸要因の構成について、ある秩序かあるいは別の秩序かを決定する場合、歴史家にその考察の根拠をもたらすものはなんであろうか。歴史家の客観性とはきわめて相対的なものである。すなわち、その選択においては、たとえ個人的な特質が直接的に介入していないとしても、歴史家自身の、特定の時代のある問題への隠された関心がしばしば影響を及ぼすのである。

私にこの意味での考察を、あるアメリカの教授によるヴィクトリア朝についての書物、J・H・ブックリーの『ヴィクトリア朝の気質』（*The Victorian Temper*）についておこなわねばならなかった。そしていまは、フィレンツェについての二冊の書物が、過去についての心理学的再構築は現在から照らして逆光にして読まなければならないという、私の確信を再確認させてくれる。もちろん、その再構築を虚偽と同一視するつもりはなく、われわれは、芸術における虚偽の場合のように、その再構築が、過去の時代のイメージを与えるという意図を超えて、再構築者の同時代の趣好を顕わにすると述べたい。

著名なテクストのより正確な研究、そして新たなテクストの発見は、ルネサンスに起こったエスクイリヌスの遺跡でのグロテスクの発見、あるいは一九世紀の写真の発見の場合のように、客観的な事実のように見える。しかし、よく知られていることだが、写真の発見はまさに、画家たちが眼に入った諸事物の現実を、もっとも隠された細部においてまで描こうと必死であった時代に起こった。またグロテスクの発見も偶然ではなかった。この点についてはア

図1——バルダッサーレ・ペルッツィ《ローマの建造物の遠近法的光景》
フィレンツェ　ウフィツィ美術館　素描室

図2——パヴィア修道院　正面ファサード

ンドレ・シャステルが、フィレンツェについての二冊の書物の最初において指摘している。「グロテスクの突然の流布は、偶然の遭遇の結果とは別のことである。すなわち、このような種類の幻想によって装飾された、エスクイリヌスの崩れた部屋の発見は、すでに存在していたグロテスクへの関心によって、すでに利用可能なものになっていた」。その例は多く挙げることができるであろう（私自身は、自著の中でももっとも知られている書物［『ロマン主義文学における肉体と死と悪魔』］における、ロマン主義的な完成のある傾向の「発見」という個人的な事例をひくことができるであろう）。そして、すべては、われわれの中にすでに存在しているものが発見されるのであるということに、そして、われわれは歴史をまえにしてしばしば、鏡で飾られた階段を昇っていき、出会った紳士に挨拶したところ、その紳士は鏡に映った自分自身でしかなかった、というような経験を生きるのであるということに帰着するのであろう。

アンドレ・シャステルの著作とメアリ・マッカーシーの著作はきわめて異なっており、前者はかねてよりウォーバーグ研究所［ロンドン大学］が推進してきたタイプの緻密な探究に満ちた『ロレンツォ・イル・マニーフィコの時代のフィレンツェの芸術と人文主義』[☆1]（*Art et humanisme à Florence au temps de Laurent le Magnifique*）であり、後者は印象的で才気煥発なルポルタージュの『フィレンツェの石』[☆2]（*The Stone of Florence*）であるが、次の点において一致している。すなわち、両者とも、ブルクハルトから、ブラウニングから、そして世紀末のイギリスの未婚女性たちから広まったルネサンスについての観念、すなわち、フラ・アンジェリコ（図3）の「かぐわしい」色彩（マッカーシーの言うところでは、花々の蒸留物）を有する晴朗なルネサンスが偽りであると宣言し、そして、それにかわって、なにひとつ確実なものがないほどの、多くの問題を孕んだ神経質で、厳しく、辛い時代と、また多様な形状で彩られた多義的な時代とみなそうとしたのであり、こうして古典的な理想的静穏さによってこの時代を表現することは計算をたがえることになると指摘したのである。そして、ブルクハルトと彼の仲間たちの旧来の評価を空中に霧散させてしまう証拠とは、一五世紀末の危機、すなわちドミニコ僧サヴォナローラによる宗教的専制政治である。それはクロムウェルが宗教改革を推進しながら、マドリガル、シェイクスピアの陽気な喜劇、あるいはボーモントとフレッチャーのエリザベス朝の非現実

フラ・アンジェリコ
図3――《受胎告知》 一四四二～四三年
フィレンツェ　サン・マルコ修道院

的ロマンスを空中に霧散させるのと同様である。

ブルクハルトと彼の仲間たちは、われわれの父の世代が、カーニヴァルの歌とプットーたち、花綱、花輪という観点から見た、ルネサンスの過剰な異教性について確信をもっていた。シャステルは、このことがいかに事実から遠いのかをわれわれに示している。すなわち、一五世紀の詩人ポリツィアーノの「われわれはギリシア人と肩を並べて、輝きと豊かさのもとに生きている」という言葉にもかかわらず、宗教的な関心がロレンツォの時代のフィレンツェ人たちをおおっており、彼らは古代人の宗教と哲学から、自分たちの瞑想の糧をひきだしていた。われわれにはあまり重要とは思われないことだが、彼らの探究の結果は、ガフーリオの『音楽論』(*De musica*) が説く理想的な協和的宇宙のようなタイプの、神秘的象徴の異様な増殖であったが、しかし本当のところそれは不毛なものでしかなかった。このような観想は、先に述べたブラマンテの素描集における古代の建造物の再構築の場合ほどにも、現実を反映したものではない。われわれは、「世界霊魂」（Anima Mundi）についての類似した奇抜な思弁の別の犠牲者、W・B・イエイツの詩作品を読むとき、彼の秘儀的な基層を無視できるように、ある点まではその観想を無視できる。だが、ここで重要なのは、このような探求と好奇心が、晴朗なアポロン的ルネサンスという概念とは合致しない不安を露わにしていることを認めることである。

それどころか、もしポッライウォーロとドナテッロの動的な不安に目を向けるならば、それはディオニュシオス的なものである。ドナテッロについての、シャステルとマッカーシーの関心は、ルネサンスについての晴朗なテーゼの一九世紀の支持者たちにとって、このテーゼの点では意義深いとは思われなかった作品に向けられる（プラニシヒも『ドナテッロ』の一九三九年のドイツ語版と一九四七年のイタリア語版において、両者のようには見なかったわけで、この作品《ダビデ》を画家の最初の英雄的様式の頂点と定義している）。このダビデは一四三〇年から一四四〇年のあいだのソクラテス的愛という精神的風土において生まれた（図4）。それは、「神経質で奇矯な魅力をもち、月桂冠を戴いた頭髪、パルメットで飾られた両脚、曖昧な微笑、軽く崩されたポーズはそれに、媚態と奇抜さというきわだった調子をあたえている」。このようにシャステルは述べている。マッカーシーはさらに明確にこう述べている。「幻想的な光沢のある一対のブーツと少年らしい頭髪しか身に着けていない彼のダビデは、フェティシストと服装倒錯者の誘惑的で曖昧な夢である。このブロンズ像（マッカーシーのテクストでは真鍮像［brazen］となっており、この語は「生意気」をも意味する）は、ミケランジェロやレオナルドが想像しただれよりも蠱惑的である。それは太って締まりのない両性具有者《アンドロジーヌ》ではなく、扇情的なあだっぽい少年である」［『フィレンツェの石』第六章より］。ここでは、フィレンツェ語どころかローマ語で話している、まさにひとりの「生命ある若者」（ragaazzi di vita）について述べられている［『生命ある若者』はパゾリーニの一九五五年発表の小説で、ローマの貧しい若者たちの猥雑な生活を描く］。

これは、現代の文化的環境が、古代の人々についてのわれわれの解釈を――こう言えるならば――洗練し、しかし決定的に条件づけていることを証明しうる多くの例のひとつである。「生命ある若者」の時代においては、ドナテッ

図4――ドナテッロ《ダビデ》一四三〇年代
フィレンツェ　バルジェッロ国立博物館

ロのダビデに「生命ある若者」が見いだされ、不安と不確実の時代においては、ルネサンスのフィレンツェにそれと同じもの、あるいは似たものが見いだされ、「タフな」（tough）文学の時代には、善良なブラウニング、ヴァーノン・リー、アナトール・フランスにはきわめて甘美で、すべてが百合のように見えた、黒と白の、栗色の、青銅のフィレンツェに、マッカーシーが述べているように、辛く、気難しく、通俗的で、粗野な都市が見られることになる。

「ご覧なさいよ、ねえ、あなた、しっかりご覧になって。あなたがご覧になっているのは世界で唯一のものなの。

どこを捜しても、自然がこのように繊細で、優雅で、上品なところはありません。フィレンツェの丘を造った神さまは芸術家であったのよ」［アナトール・フランス『赤い百合』第八章より］。これはひとつの気どり《アッフェッタツィオーニ》であった。しかし、メアリ・マッカーシーのフィレンツェにおいても、多くの気どりが存在することをだれが否定できるであろうか。たとえ彼女が明らかにしたいくつかの事実と側面が真実であることを認めたとしても、そして彼女がそれらについて語っていることが『フローレンスの朝』（*Mornings in Florene*［ジョン・ラスキンの作品］）と英国の独身女性たちが発していたフィレンツェについての多くの常套句がのちには新鮮に映ることを認めるとしても、またたとえ彼女の新しい反-晴朗的で反-英雄的なレトリックもまた常套句に化すのが避けられないことに甘んじるとしても、である。

　そして、マッカーシーのあらゆるページ、あらゆる行に彼女が刻印しているのと同じ現代性が、ルネサンスのフィレンツェを知ろうと望む者にとって不可欠の書物としている無数の引用と参照指示によって支えられた、シャステル

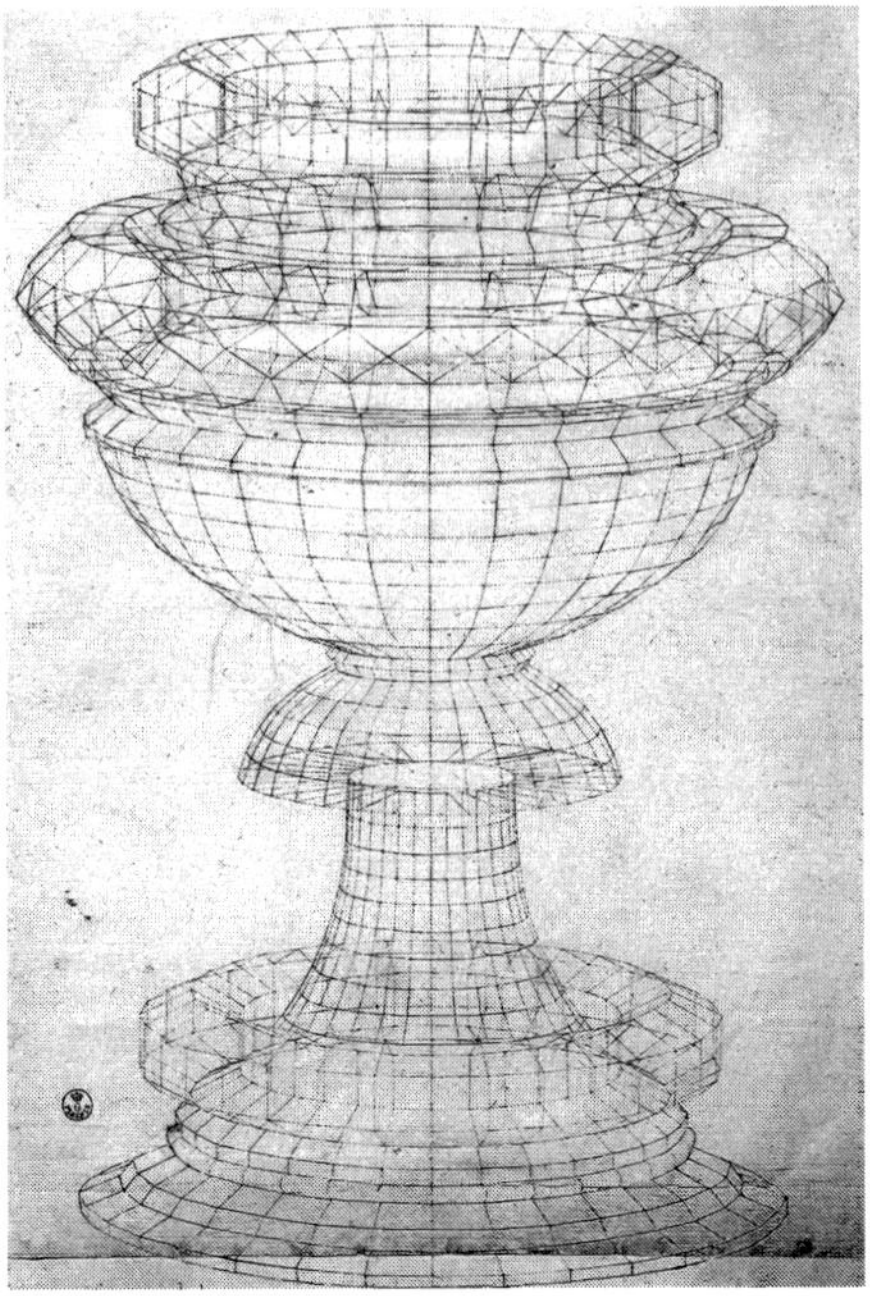

図5――パウロ・ウッチェッロ《遠近法の習作》
フィレンツェ　ウフィツィ美術館　素描室

の学識にあふれた探究にも忍びこんでいることをだれが否定できるであろうか。というのは、彼が現代的観点から考察の対象とせず、そして解釈の光を投げかけないようなルネサンスの側面や問題は存在しないからである。残念ながら、彼の書物の多くの章の細部に踏みこむことはできないが、しかしわれわれは、シャステルが遠近法の抽象性へのパウロ・ウッチェッロ（図5）の情熱についてヴァザーリから引用しながら伝えている、抽象派に対するドナテッロの判断を尊重することにしよう。「おい、パオロ、この君の遠近法は確実なものを捨てて不確実なものを得るようなもの。このようなものは、寄木細工をつくる連中にしか役立たない。彼らは細い木っ端と丸や四角の渦巻きのようなもので縁を飾るからな」［ヴァザーリ『画家・彫刻家・建築家列伝』「パオロ・ウッチェッロ伝」より］。現代の抽象主義に対しては、こう言いかえることができるだろう。「このようなものは、ネクタイをつくる連中にしか役に立たない」。

少しまえに公開された映画『渚にて』［スタンリー・クレイマー監督の一九五九年公開の作品］では、原子爆弾による最終戦争ののち四大陸の大気を汚染した致命的な放射能が、まだ無傷であった最後の土地であるオーストラリアまで少しずつ広がっていく様子が描かれている。このようにして、ある時代の焼き印が、すなわち――この言葉が滑稽にならないかぎりであるが――「時代精神」（Zeitgeist）と呼ばれたものが生じた。それは、最後には、自らの発散物を学問の孤独な塔の中にまで送り、そして自らの痕跡を学者たちの思惟にまで残すことになる。私がこのことで、シャステルを責めているとは思わないでほしい。それは普遍的で、不可避的な現象なのである。　（一九六〇年［伊藤博明］）

反ルネサンス

われわれ批評家には、未知の土地を発見するという陶酔や、難解な犯罪の筋を解決するという達成感（たとえ犯罪小説を創作していたとしても）は無縁なものであるが、文化的地層に隠れている水脈を、また文化的モティーフのいままで見逃されてきた、あるいは思いもかけない鉱脈を明るみにだして、ある歴史的期間の地図を描きなおすこと、あるいは単純に、著作家が直接とりだした典拠を明らかにするという愉しみは残されている。

探究の厳密さにおいて、また証明の優雅さにおいて、現在、エルヴィン・パノフスキーというイコノロジー、すなわち、芸術作品の主題と意味を、その形態的価値と対置させせながら探究することに専心する美術史の一分野の創設者にして守護者に優る者はほとんどいない。パノフスキーをこのうえなく愛していたベレンソンは、このライヴァルのために、彼らが認めあうことになった数少ない言葉遊びのひとつを創出した。それはパノフスキーの「イコノロジー」（Iconology）に対抗するもので、あまり愉快なものとは言えない「イコノンセンス」（Iconsense）という言葉である。

実際、パノフスキーの研究よりも粘り強く論証された研究を想い描くことはできないであろう。彼はティツィアーノの寓意的絵画《賢慮の寓意》（図1）の起源にまで遡り、われわれに、三つの謎めいた人間の頭部と、奇怪な狩猟の戦利品のようなものを形成する三つの動物の頭部の意味を明らかにした。また彼は、チマブーエに帰される素描のためにヴァザーリがゴシック風に描いた枠飾り（図2）を、あたかも小さな跳躍台のように用いて議論を展開し、ル

図1――ティツィアーノ・ヴェチェッリオ《賢慮の寓意》　一五六五年
ロンドン　ナショナル・ギャラリー

図2――〈チマブーエに帰された素描〉
ジョルジョ・ヴァザーリによる枠飾り
パリ　エコール・デ・ボザール

図3――アルブレヒト・デューラー
《アダムとエヴァ》一五〇四年
カールスルーエ　州立美術館

図5――ニコラ・プッサン
《われアルカディアにもあり》一六三七〜三八年
パリ　ルーヴル美術館

図4――グエルチーノ
《われアルカディアにもあり》一六一八〜二〇年
ローマ　国立古代美術館

ネサンスにおけるゴシック様式の運命の全歴史を鳥瞰してみせた。また彼は、北方のヨーロッパが古代的なものに接近することができたのは、ただイタリア・ルネサンスが与えた解釈を通してであることを示し、そしてそのために古典古代の芸術を北方のヨーロッパが理解しうる言語へ翻訳されたということ、加えてデューラー（図3）がその唯一で至高の伝達者としての役割を演じたことを示した。また彼は、いくつかの絵画作品（図4・図5）を通して「われアルカディアにもあり」（Et in Arcadia ego）という理念の歴史とその変容を跡づけた。

書肆サンソーニからイタリア語版が刊行された、レンツォ・フェデリーチ訳のパノフスキー『視覚芸術における意味』（*Il significato nelle arti visive*）という、このような重厚な研究は、この短文を綴っている者［プラーツ］が『ロマン主義文学における肉体と死と悪魔』（*La carne, la morte e il diavolo nella letteratura romantica*, 1930）においておこなった、そして、エウジェニオ・バッティスティが緻密で——英語風に言うならば——きわめて「刺激的な」『反ルネサンス』[☆1]（*Antirinascimento*）において着手した、文化の隠された潮流の探究と解明に類似している。

バッティスティは、ハイラム・ヘイドン——その『対抗ルネサンス』（*The Counter-Renaissance*, New York, 1950）という書物から彼は自著のタイトルを採っている——やユルジス・バルトルシャイテス、そしてまたグスタフ・ルネ・ホッケのようや研究者たちに多くを負っていることを告白している。しかしながらバッティスティは、マニエリスムについての彼らの才気煥発な書物に、正しい歴史的遠近法の欠如を見いだしている。そして彼は、「イメジャリー」（imagerie）のような混淆した用語をイタリアに流行させようとする、イコノロジストたちの陣営に属していることを、当然のごとく自ら認めている。この用語については、「形象的なもの」（figuristica）のような、より一般に受容しうるような言葉を捜すこともできたであろう。この用語ならば、たとえば、彼が『反ルネサンス』の第一部のためにつけたタイトル「ルネサンスとバロックのイメジャリーと批評における古代および中世の残存」のように、彼の小怪物［「イメジャリー」という用語］を用いているすべての文脈において、よりよく響くであろう。

ところで、バッティスティの最初の方向性、彼の才智の明瞭な傾向性は、彼の師リオネッロ・ヴェントゥーリが彼に与えたものである。ヴェントゥーリから彼が受け継いだのは、謀反と反乱への趣好、大衆や迫害された者たち（魔女、異端者）への共感、公的芸術に対抗する粗描への偏愛、「画家を芸術の統語論や文法規則から解放する」幻想的なもの、無秩序なもの、自由なもの、奇抜なものの評価であり、それはブッリが制作する麻の粗い布地からなる作品（図6）へとわれわれを導く危険な道である。バッティスティはこう書いている。「全般的に、過去の中に、疑わしく怪しげなものについての確証を探し求めなければならない。そして、それはすでに少しは知られている」。われわれとしては、あるいはこうも言いうるであろう、過去に対してわれわれの現在の趣好をふりかけなければならない、と。

彼が追い求めている文化的鉱脈自体、すなわち反ルネサンスという一種の沈んだアトランティスとは粗描であり、かいま見られた、可能性を秘めつつも、完全には実現されていないものであり、要するに、リオネッロ・ヴェントゥーリの気に入っていた被造物のひとつである。そして、バッティスティがこの異教的水脈の中に文化の妙味自体を見るかぎりにおいて、彼がそれに捧げている称讃は、一九世紀の作家メレディス［『喜劇論』］が喜劇的精神に捧げていた称讃と平行関係にある。この喜劇的精神にメレディスは、グロテスクな装いの下に悲痛を宿している啓示者の、さらには人間の心の奥底にうごめいている反逆天使の深い悲劇的使命をわりあてた。そして彼の称讃は、喜劇的精神をムーサたちが手にしている鍵の真の管理人を

図6——アルベルト・ブッリ
《袋地と黄金》 一九五六年
チッタ・ディ・カステッロ
パラッツォ・アビッツィーニ財団
ブッリ・コレクション

することで頂点に達した。

しかし、バッティスティの書物は難解というよりも明瞭で近づきやすく、たしかにメレディスの美しい頌歌というわけではない。この書物は寓話、迷信、寓意、占星術、科学の領国への侵入をとおして明らかにされる奇抜さの讃歌である（それは、現在その古代趣味のゆえに大きな注目を浴びているアタナシス・キルヒャー師の再評価をともなっており、そして、バッティスティのように奇矯な図版を満載した、バルトルシャイテスの博識にあふれた探究や、一九六一年にポヴェール社から刊行された、好奇心をそそるルネ・ド・ソリエの『幻想芸術』［*Art fantastique*］のような著作と類似している）。この書物は、曖昧で饒舌な理想《イデアーレ》の、書誌的な情報がきわめて豊かな探究であり、この理想は歴史上のある瞬間に現われ、別の瞬間に消え、またあるときは公的芸術から断罪され、あるときはそれに吸収され、最後にロマン主義において勝ち誇って再び出現するであろう。

われわれの見解では、イタリア美術はたしかに幻想的なものの領域においては十分な成果を生みだすにはいたらなかった。これはパノフスキーによっても断言されている見解で、彼はこう書いている。「イタリア美術は古代的なものの相続者として、その本性上、絵画的なものと個別的なものよりもむしろ、造形的で典型的なものへと導かれた」。その確証となるのは、われわれイタリアの文学におけるほど、普遍的で典型的なプラトン主義が猛威を振るった文学はどこにもなかったという事実であろう。しかしバッティスティにとって、「イタリアの幻想的なものは異国のそれを拒むものではけっしてなかった」。それどころか、イタリアには、異国の反ルネサンス的表現の芽が見いだされるであろう。しかし、すぐのちに判明するように、「それから現われたのは蕾だけで、大地はまだそれを養うほど豊かではなかった」。

バッティスティが、造形的で典型的なイタリア美術のわきに積みあげられた、あるいはその下に沈んでいる諸要素を再び回収して、それらに反順応主義的《アンティコンフォルミスタ》幻想の光線を巧みに照射し（ハンナ・キール［『ルネサンス絵画における予期せぬ風景』、一九五二年］が聖会話の背景から予期せぬ風景をとりだしたのと同じ精神によって）、われわれに順々と提示するのは、外的にはキケロ風で形而上的であり、しかし内的には「驚異の部屋」（Wunderkammer）のようなピクチャレスクで雑多な色模様のフィレンツェ（エミリオ・チェッキがフィレンツェ気質についての有名な論考で描写したブルネッレスキ的なフィレンツェは反ルネサンス的背景から逸脱する例外となるであろう）、すなわち広大な領野を形成する視覚的財産に満ちたイタリアのフォークロアである。ただし、その様式上の出現は限られたものであり、われわれイタリアの美術において、お伽話《フィアーバ》の世界への扉はまれにしか開けられなかった――ピエロ・ディ・コジモ（図7）やアンドレア・リッチョ（図8）、噴水の装飾（図9）、考古学的発掘の特異なエピソード（『ポリフィルスの狂恋夢』〔図10〕）、奇矯な庭園の創意（ボマルツォ〔図11〕、プラトリーノ〔図12〕）を除いては。また彼がわれわれに提示するのは、生体《ビオモルフィコ》に類似した装飾という、また物質の魔術的価値の称揚というルネサンス的趣好であり、才智の驚異として称えられた機械への欲望であり、科学的挿絵における細部の緻密な描写への情熱である。そして最後に彼は、これら広大なテーマに属する鋭敏で、動的で、悪魔的なものがすべて、マニエリスムという用語のもとに包摂されうるであろうか、と問うている。

バッティスティには包摂されうるように思われない。彼にとってマニエリスムとはせいぜい、文化的地層に隠れている水脈が、一般的な趣好の中で一時的に姿を見せるというエピソードのひとつでしかない。この水脈は、たとえばミケランジェロの反モニュメンタル性において、またイエズス会的バロックにおいて（双方ともバッティスティが用いている言葉である）、そしてほかにも多くの場合に出現する。しかし、キリスト教の諸分派《セッテ》について、教会がその翼の先端を切りおとして〔懐柔して〕自らに吸収することが起こるように、幻想的な、あるいは民衆的で――こう言ってもいいが――お伽話的なテーマについても、公的芸術がそれらをいわば養子にして回収するということが起こる。すなわち、怪物的なものはグロテスクなものと同一視され、統御され、そこでは辛辣さを失い、飼い慣らされて、インプレーサやエンブレムの身体〔図像〕として教育的機能をはたすために呼びだされる。つまるところ、反動宗教改革の文化においては、反ルネサンス的陶酔は部分的にその中に吸収され、一般的には衰退していくのである。

公的芸術が吸収しないものは、公的批評によって断罪されるか、忘却の郷にとり残される。古典主義的刻印をうた

図7――ピエロ・ディ・コジモ
《アンドロメダを救うペルセウス》
一五〇五年頃
フィレンツェ　ウフィツィ美術館

図8――アンドレア・リッチョ
《エウロパ》一五二〇年頃
ブダペスト　国立西洋美術館

図9――フィレンツェ
ボーボリ庭園の噴水装飾

[b 7v]

図10——フランチェスコ・コロンナ『ポリフィルスの狂恋夢』 ヴェネツィア 一四九九年
fol. b 7v.

図11——ボマルツォの庭園の彫刻

図12——フィレンツェ郊外 プラトリーノの庭園の彫刻

れた歴史記述は、幻想的なものと奇矯なものの鉱脈を無視する。そして、バッティスティが自ら検討した一六世紀のエピソードにおいて驚嘆したという、「物質の感覚、自然の有機体性への情動、そして、魔術、宗教性と非宗教性、秘儀という厳格で動的な基盤、あの共感の能力」が、一七世紀と一八世紀のあいだに消失する。

インプレーサとエンブレムの文学、庭園の装飾（洞窟《グロッタ》、水の遊戯）、自動機械などのような、才智と機知と驚異の遊戯のカテゴリーに再び組みいれられるこれらのエピソードの多くには、「前バロック《プレバロッコ》」というラヴェルを貼ることが望まれるのであろう──同様なカテゴリーである「前ロマン主義《プレロマンティシズモ》」というラヴェルが貼られないように、われわれが現代的観点から監視する必要はないであろうが。ところで、あらゆる趣好は自らのうちに、抗体のような反対物の胚芽を所有している。抗体の存在は、原子の世界においても、より広大な有機体の世界においても、さらには人間の情念の世界においても普遍的な法則であるかのように思える。おそらく、各々の性《セツ》においては別の性との混合はないであろうが、愛の中には一抹の憎しみが混じっているのではなかろうか（それゆえ、情念の天秤の一方がほんの少しのあいだ傾いただけでも、よく知られた病理学的反応が顕われるのである）。

それゆえ、もしルネサンスがその対立物を含んでいなかったならば、それは驚くべきことであろう。そして、ルネサンスの中にロマン主義的革命の、抑圧された対蹠地《アンティチーポ》を見ようとすることは、一方で反ルネサンス的な諸要素に、それらに属していないはずの劇的な彩色を与えようとすることである。これらの要素を理解するためには、その世紀の中で、それをとりまく外的環境の中で見てとらなければならない。おそらく、ルネサンスにおける魔術的なものの開花、機械的なものと驚異的なものへの情熱こそが、まさにその文化的風土を、そのうちふるえる暈光を、その世紀に現われて影響を及ぼした科学的発見の「土壌」（humus）をなりたたせた。それは、前世紀に緻密な肖像画と現実感の強調の洗練化が、写真が生まれる文化的風土を形成したのと同様であり、また、現代において、サイエンス・フィクションと抽象主義のようなさまざまな現象がおそらく、前代未聞の空間的征服［宇宙探索］の文化的風土であるのと同様である。

（一九六三年［伊藤博明］）

マニエーラ・イタリアーナ

美術評論家バーナード・ベレンソンのサロンで、あるときマニエリズモ（マニエリスム）が話題にのぼった。そのさい、東洋についての該博な知識が西洋についての僅少な知識を補ってあまりあるフレーヤ・スタークが次のように叫んだ。「マニエリズモ、マニエリズモ、なんとばかげた言葉なのであろう」（What a silly word!）。彼はそのときはじめて「マニエリズモ」という言葉を耳にしたのであった。ロベルト・ロンギは一生のあいだに何回となく「マニエリズモ」という言葉が話されるのを耳にしたが、とうとう最後にはこの「ばかげた言葉」にうんざりしてしまい、それにかわってよりイタリア的な響きのする「マニエーラ」という言葉を用いることを提唱した。これをうけて、ジュリアーノ・ブリガンティは、彼が弱冠三〇歳で出版した書物『マニエリズモとペッレグリーノ・ティバルディ[☆1]』の全面的な改訂版を、『マニエーラ・イタリアーナ[☆2]』と名づけた。

「イズモ」という言葉に対して反論があがったのはこれがはじめてではない。ロンギは、この接尾語のもつ空疎で抽象的な性格への嫌悪に加えて、これ以上はないという反感を生みだすのにふさわしい聖水をこの言葉にふりかけた。というのもこの言葉が、あの観念的なドイツの批評から発し、一般に流布していったという点にこそ問題の核心が存在するからである。私は、「イズモ」という用語なしにすますことができるとは思わないが、ここで「イズモ」の弁解をしようというわけでもない。

もしこの接尾語をつけるのに最適と思われる芸術的潮流があるとするならば、それはルネサンスがその様式を完成し、登りつめた極致であるあの「狭い山頂」（ブリガンティ）が崩壊したあと、イタリア絵画の中でくりひろげられ試みられたもろもろの規範、定式、様式化、探索、そして逸脱の総体そのものを指すのである。「イズモ」という接尾語は、署名や筆致《カリグラフィア》の最後の部分に表われる飾り書きのような特徴をもち、その特徴は、「マニエーラ・イタリアーナ」の要約的表現であり、花文字《チフラ》であり、そして花押《シタラ》であるもの、すなわち〈蛇状曲線《リネア・セルペンティナータ》〉とまさしく視覚的に一致している。

フランスの役者ピエール・ラフォンは、次のような規則を後進に与えた。「私の動作を見なさい。これは芝居の基本なのであるから。もしも私の身体がこちらにあって頭があちらにあったとしたら、それは形姿を際立たせるためにだけするのである」。もしもすべての人にわかるように「マニエリズモ」を定義したいのなら、ここにあげたタルマの同時代人の俳優の語るポーズをくりかえせばそれでいい。そうすればわれわれは長々と議論せずにすむ。しかしながら、この最初の明確な表明に加えて、ロマッツォの古い論考にある〈蛇状曲線〉の綺想《コンチェット》を述べることもできるであろうし、この綺想はホガースが美の範例とした螺旋まで遡ることもできるであろう（われわれは螺旋状の牛の角に理想の美［蛇状曲線］を見いだすことになるであろう）。

さらにわれわれは、現代のドイツ批評の高踏的なアカデミズムの詭弁に満ちた迷宮にわけいり、マルガレーテ・ヘルナーのようにマニエリズモを抽象的な幾何学的問題のように研究することもできるであろう。彼女によれば、マニエリズモは、線と面が構成する理想Aから色彩と濃淡が構成する理想Bにいたる必然的な過程である。そこで彼女は、マニエリスティックな曲線、波打つ線の織りなす網の中に、まさに進行しつつある変容の花文字《チフラ》を見いだすのである。さらに彼女にしたがって詳細な形態学的研究にわけいるとすれば、ほとんど芸術作品とは言えないようなもの、とりわけ植物に眼を向けることになる。そしてついには、こうして造形芸術において見いだされた定型《シェーマ》を文学にも適用しようとする試みに足を踏みいれ、エラスムスの文体にホルバインの「マニエーラ」の文学的な等価物を見いだすこともできるであろう。しかしながらここでわれわれは、後ろをふりかえり、いままでたどってきた螺旋状の論述をふたたび眺めるならば、なにひとつ認識できていないことの虚しさに眩暈を覚えることになる。

したがってわれわれは、ジュリアーノ・ブリガンティがマニエリズモを論じた最初の『マニエリズモとペッレグリーノ・ティバルディ』の冒頭で述べていることに同意しなければならない。「近年マニエリズモについて多くのことが書かれ、また議論されてきた。だがよく考察すると、これらの書物や議論がもたらした結論は、私には概して否定的なものと見える。多様な意味をまとわされ、きわめて異なった批評システムの中にとりこまれた結果、マニエリズモという概念はいまやたいへん伸縮自在な、まったくつかみどころのないものになってしまった」。

美術史において、マニエリズモはもっとも新しいカテゴリーである。今世紀の初頭に、ヴェルフリンの理論に呼応して、ルネサンスとバロックという美術史上のカテゴリーが問題にされた。次いでドイツの批評家（フォス、フリートレンダーなど）によって、鋭い楔が打ちこまれるかのようにマニエリズモが歴史の中に挿入された。それは、もともと美術‐歴史的用語である「バロック」の場合に起こったのと同様に、文学史にも適用され、多くの評価の再検討に貢献した。

たとえばイギリスにおいては、シェイクスピアの初期の作品とジョン・ダンの詩が再検討された。最近では、ジョルジュ・メルキオーリが、その明敏な著作『綱渡り芸人』[☆3]に「近代イギリス文学におけるマニエリスム研究」（*Studies of Mannerism in Modern English Literature*）なる副題を与えた。またグスタフ・ルネ・ホッケは、『文学におけるマニエリスム――言葉の錬金術と秘教的結合術』[☆4]において、この用語をきわめて広汎な展望のもとに考察し、きわめて異質な現象の中に散見されるあらゆる異例性の痕跡を、マニエリズモの名のもとにひきつけた。ロンギやブリガンティには気の毒であるが、いまとなっては「マニエリズモ」という用語はすでにスタートを切り、たとえ破滅へと向かおうとも、もはやその疾駆を止めることはできない競走馬のごときものであり、われわれはその馬の後ろを走っていくしかないのである。

「マニエリズモ」であろうが「マニエーラ」であろうが、事態はなにも変わらない。一六世紀の美術は、単にイタリアの作品だけではなく、すべてがマニエリズモの徴を帯びている。ブリガンティが「マニエーラ・イタリアーナ」の特徴について定義した多くのみごとな文章のひとつを借りれば、この時代には「非合理で、奇智あふれる、主観的な効果に満ちた、古典的世界の歪曲」が見られるのである。この時代はまた、「形成されたばかりのルネサンス様式のいまだ若々しい幹の上に、新しい感受性が接ぎ木された」時代でもある。ポントルモ、ロッソ、ベッカフーミは、ルネサンスを完成させたレオナルド・ダ・ヴィンチ、ミケランジェロ、ラファエッロといった偉才にきわめて近いように思われる。実際この時代は（古代ギリシアや今日の世界のように）、時が目も眩むような速さで過ぎゆく時代であった。わずかな年月の流れのあいだに、イタリアは光輝から荒廃へと、あらゆる分野における優越から政治的従属へと移行した。そしてこの政治的従属はたちまち、芸術の分野においてさえも、イタリアを中心的な位置から周辺へと貶めることになった。ブリガンティがたえず注意を喚起してやまない銘記すべき名称と日付をあげるならば、以下のとおりである。ローマの劫掠、一五二七年、〈恐怖の年〉（année terrible）。

おそらく、マニエリストの第一世代に属するフィレンツェ人たちは、ヴァージニア・ウルフが、第一次世界大戦後に輩出したヨーロッパの作家たち、つまり不安の時代の第一世代に認めたのと同じ感情を内に秘めていたのである。堅固な土台の上にしっかりと体系化されているように見えた文明の上に座していた一九世紀の作家たちとは異なり、これらの作家たちは、あたかも傾きつつある塔の上にいるかのように感じていたのである。完全に転倒しているわけではないが、斜めに傾いている高い塔の上から見る眺めは、なんと奇妙なものであろうか。そこでは、不安と困惑感が生じ、それゆえ新たな安定への希求と新たな位置への希求が生まれる。いわばそれと類似したことが、ロレンツォ・イル・マニーフィコの栄光からサヴォナローラの〈虚飾の焼却〉による贖罪の灰へと移行したころのフィレンツェにおいて、奇矯な頭脳をもった人々の中に起こり、その結果、規範へのある種の強迫観念から知的で大胆な変種《ヴァリアツィオーネ》を発展させたと言うこともできるであろう。

ブリガンティはすでに一九四五年に、今日のわれわれと共通する精神的状態を自ら意識することによって生じたマニエリストの鋭敏な感受性に光をあてている。「マニエリズモの多くの絵画に見られる多様な晦渋さを、多義的で微妙な暗示の中に混淆させ、隠蔽し、増殖させるエリート的なきどった表現は、厳格で貴族的な形式的主知主義からばかりではなく、またこれらの作品がもつある特有な感情的内容から生じているのである。絵画表現は、芸術家の不安な知性を表わすために、換言すれば、多義的で苦悩に満ちた感受性のきわめて強迫的な徴候を具現化するために、適切な、まさにもっとも適切な手段を見いだすことに成功したのである」☆5。

このようにして、このときまでは慣習によって禁じられ、制限され、身をひそめていた精神世界が、美術の中にその捌け口を見いだした。このイタリアこそが、続いてエリザベス朝の劇作家たちが、痙攣的に、そして時には戯画的に、彼らの陰鬱な演劇で演じようとしたものであった。それは、華奢でなよなよとした身体をもつ若者たちの両性的な青春の世界であり、鎧に身を固め、あたかも紋章のような複雑な髪型を編んだたくましい娘たちの世界であり、悪魔的な顔と若々しく端正な肉体をもった活気ある老人たちの世界であり、そしてヴィットリア・アッコランボーニの魔術が、ウェブスターの「白い悪魔」が、フォードにおけるジョンとアナベルの禁じられた愛が演じられる世界なのである。

多義性は、これらの芸術家たちが描くすべてのものに表われている。彼らの表現する人物は、優美な姿態の中で、まるで物体のような不動性を保って凝固しており、彼らの肉体はさながら大理石のように描かれている。表情は固くひきしまり、まるで入念に仕上げられた仮面《マスケラ》のようである。一方事物は、気まぐれで邪悪な欲望をもって生きているかのように描かれている。彫刻をほどこしたアンフォラ［古代ギリシアの壺］は奇妙な生きもののように宙に浮き、調度品は怪物グリフィンのように人を待ち伏せしている。また、衣襞《ドレイパリー》は顰め面で目配せをしている。こうして、シュルレアリスムの先駆的表現が達成されたのである。すべてが寓意であり、隠喩であり、奇智のあふれた逸脱である。だが、真実を別の視座から生みだすイリュージョニスティックな効果を用いることによって、目も眩むばかりの生気を帯びている。これはアルチーナの魔法にかけられた世界（図1）であり、ソドマの描く欲望をそそる乳房の世界で

図1——ドッソ・ドッシ
《キルケ、あるいはメリッサ》一五二〇年頃
ローマ　ボルゲーゼ美術館

図2——ソドマ
《アレクサンドロス大王とロクサネ》（部分）
一五一七年頃
ローマ　ヴィッラ・ファルネジーナ

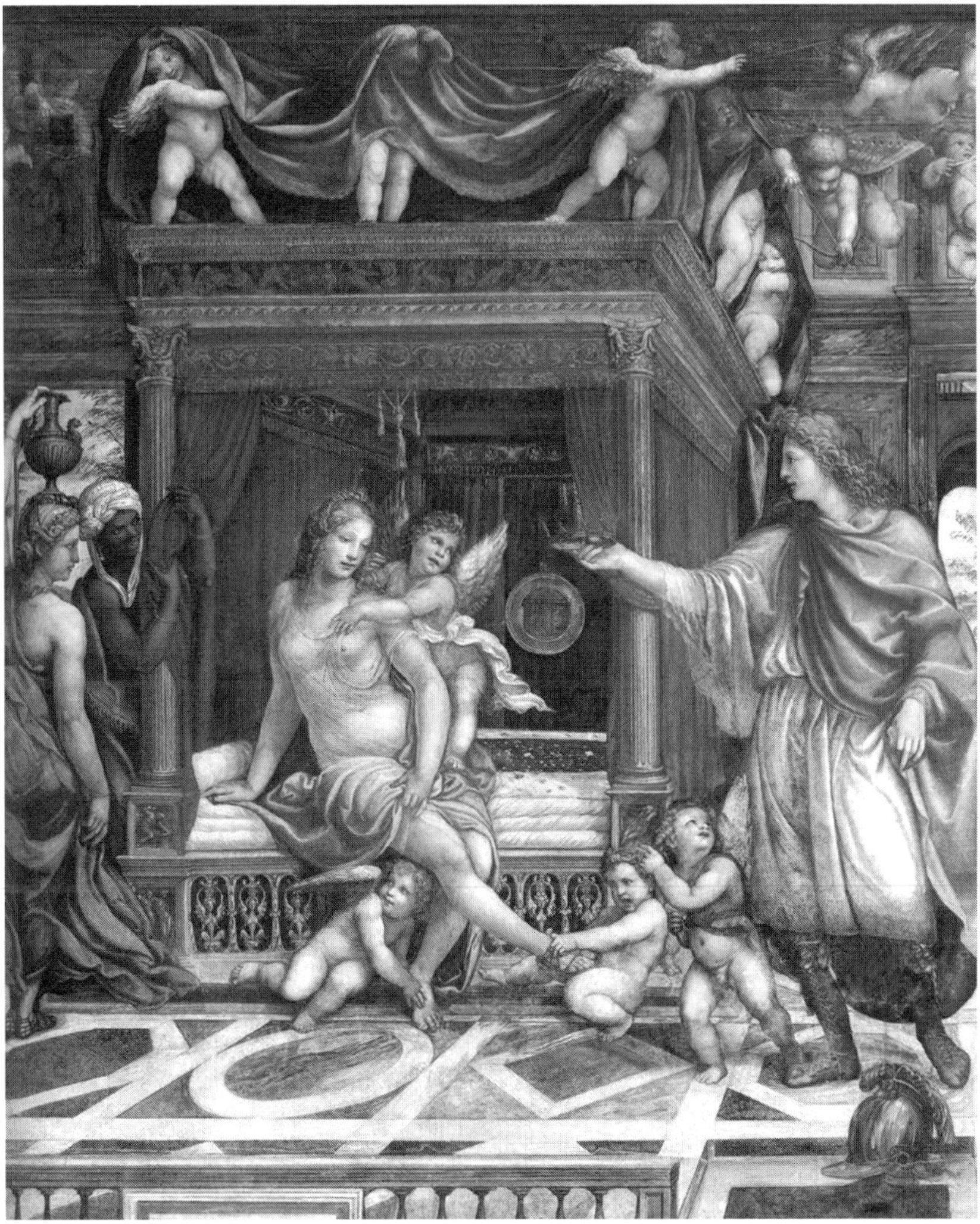

とした世界である。

ある（図2）。すなわちカーライルやラスキンが、〈真実〉や〈道徳〉の名のもとに、異端排斥によって壊滅させようとした世界である。

マニエリズモと現代との表面的な類似をこれ以上追求すべきではない。いわゆる盛期ルネサンスの最中にさえも、ルネサンスの調和的世界を脅かす深刻な危機の徴候が認められるのであり、ブリガンティが注意をうながしているように、このような徴候は、「のちにヴァザーリ以降の人々によって美化される〈黄金時代〉の偉大な主役たちの、少なくとも二人の中に、すなわちもっとも神聖なレオナルドとミケランジェロという〈マニエーラ〉の最大の名匠の中に認められ、ラファエッロさえも完全に無傷ではなかった」。

いかにレオナルドとミケランジェロが、前者は《アンギアーリの戦い》の未完の作品（図3［ルーベンスによる模写］）によって、後者は《カッシナの戦い》のエピソードを描いた下絵《カルトン》（図4）によって、この新しい傾向の主要なテクストを視覚化していたかを、ブリガンティは誠実で綿密な分析によって示している。彼の分析についてはここでは言及せず、賞讃するだけにとどめよう。すべての芸術家の中で、ミケランジェロは常にもっとも模倣することのむずかしい人物であった。われわれがよく学びうるのは、天才よりも才能ある職人からであろう。なぜなら、前者はもはや模倣することを許さないほどの極みに達しているが、後者は実験的な手法、道具、着想によってその才を補っているからである。ダンテやシェイクスピアの足跡をなぞろうとして罰を受けなかった者はいない。それはレオナルドとミケランジェロの場合も同様である。T・S・エリオットはかつてこう述べた。「もし諸君がシェイクスピアを模倣しようとするならば、かならず言語表現の仰々しく、不自然な、また暴力的な捻れを生みださざるをえない」。この言葉は、そのまま一六世紀のマニエリストから一八世紀のフュスリやブレイクなどまで、ミケランジェロを模倣するすべての人々にあてはめることができるであろう。

ミケランジェロの中には、ダイモーン——ギリシア語と近代語の二重の意味［神霊／悪魔］——的なものが多く存在する。また彼の中には、プラトン主義が主流であったルネサンス期フィレンツェの精神風土にあって、たとえ天才

レオナルド・ダ・ヴィンチ［ルーベンスによる模写］
図3——《アンギアーリの戦い》一五〇三～〇五年
パリ　ルーヴル美術館

アリストーティレ・ダ・サンガッロ
図4——ミケランジェロの《カッシナの戦い》の下絵模写　一五四二年
イギリス　レスター伯蔵　ホーカム・ホール

といえども免れることのできなかったプラトン主義的抽象化が見受けられる。天才そのものが宿すこのダイモーン的なものは、模倣不可能な特質である。しかしミケランジェロの中には、模倣者たちが自らの中に採りいれることのできるような、巨大なもの《ティターニコ》、包旋形のもの《コンヴォルート》、苦悩に満ちたもの《トルメンタート》があった。また、「ミケランジェロの苦悩に満ちた宗教性の逸脱した発現」は、まさしく「最初のダイモーン的な炎」であり、フィレンツェ派マニエリストの最初の橋頭堡であった。マニエリズモがもたらしたきわめて異種なる諸表現の共通分母は抽象化である。

パオラ・バロッキが『ロッソ・フィオレンティーノ』(一九五〇年)で正しく指摘しているように、この「抽象化」以外には、「たとえばダニエーレ・ダ・ヴォルテッラ(図5)、ペッレグリーノ・ティバルディ、ジョルジョ・ヴァザーリを、ロッソ(図6)、ベッカフーミ、パルミジャニーノと結びつける共通点は実際のところなにひとつ存在しない。前者はアカデミーに属する単なる追随者であるが、後者はアカデミーに反旗を翻す独創的な画家である。前者は精彩を欠き、不活発で、凡庸であるが、後者は不断の熱望を抱き、活動的で、鋭敏である。前者が単なる形式的訓練に専心し、過去の規範をくりかえすのにたいして、後者は明敏な意味表現や新しい造形言語の発見を追求する」。しかしブリガンティによれば、抽象化とは「自然の単純で直接的な模倣について、その目的において反対の立場をとるものであり、現実を隠喩的に表現して戯れるか、あるいはきわめて明白な現実を非現実的な複合体の中に挿入して、現代のシュルレアリスムとさほど遠からぬ効果を生みだす」ものである。

したがってマニエリストたちは、ミケランジェロの外面的な様相しか模範とすることはできなかった。つまり、彼が造形した勝ち誇る巨人や物憂げなレダたちから、その究極の優美さを析出しようとしたものの、表面的にしかなしえなかったのである。その結果としての暗示的な形姿は、時には蛇のようにしなやかに湾曲し、また時には硬石象眼細工《ピエトレ・ドゥーレ》のような無感動な明澄さをたたえる。それは、ルカ・カンビアーゾにあっては「小立方体から成る人体」(図7)となり、アルチンボルドにあっては静物との共生関係に溶けあい(図8)、エル・グレコにあっては熱望のため炎のように上昇し(図9)、マルコ・ピーノにあっては途方もなく蛇状に波打つ(図10)。実際、内なるイメージである

図5――ダニエーレ・ダ・ヴォルテッラ
《キリストの十字架降架》一五五〇年
ローマ　トリニタ・ディ・モンティ聖堂

図6——ロッソ・フィオレンティーノ
《キリストの十字架降架》一五二一年
ヴォルテッラ　ヴォルテッラ市立美術館

図7――ルカ・カンビアーゾ
《人体の群像》一五五六年以降
フィレンツェ　ウフィツィ美術館　版画素描室

図8――ジュゼッペ・アルチンボルド
《秋》一五七三年
パリ　ルーヴル美術館

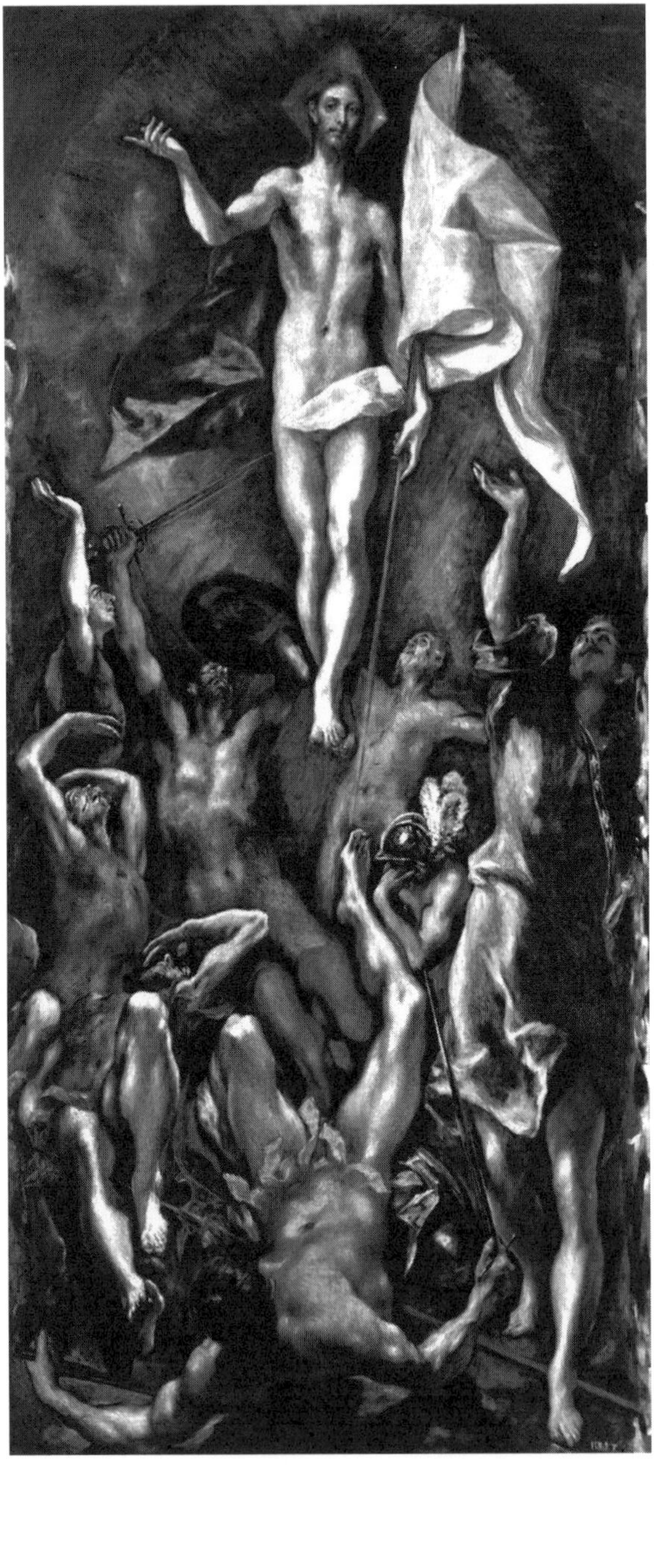

図9――エル・グレコ
《キリストの復活》一六〇八年～一〇年
マドリード　プラド美術館

図10――マルコ・ピーノ
《キリストの復活》一五二五年頃
ローマ　ボルゲーゼ美術館

観念《イデア》は、外なる形姿と重ねあわされ、あらゆる可能性とあらゆる不可能性とが円環をなす無限の往復運動を描く。トスカーナの最初期のマニエリズモ（ロッソ、ポントルモ、そして才気あふれるベッカフーミ）の「奇想天外な創意」は、「現実から錨をあげて、意識の深奥に隠された領域へと向かって出帆する」。ブリガンティがその最初の研究でもっとも関心を集中したのは、マニエリズモのこのような側面であった。一五年後、彼はそれに加えてローマのマニエリストたちの活動を綿密に評価し、これをマニエリストたちの第二波と定義して、マニエリズモの全容を明らかにしたのである。

フィレンツェのマニエリストたちが表現した繊細な驚異に続いて、ジュリオ・ロマーノの描く巨人たちの〈恐怖〉、古代のラオコオン像のかもしだす圧倒的な雄弁を想い起こさせる修辞学的な欲求が顕われる（図11）。それはジラルディ・チンティオによって解釈されたセネカのようなものであった。ブリガンティは、メルクリウスのような正確さをもって反射と屈折の迷宮を動きまわり、芸術家の旅行や滞在や出会いなどの複雑なクロノロジーを確定した。そして、錯綜した時代の中で各々のマニエリストたちが果たした役割を確定し評価するという困難な課題に多くの成果をあげた。

たとえば彼は、ペリン・デル・ヴァーガの位置を次のように明らかにしている。「考古学的な体験を、人の目を欺くような仕方で、風変わりで刺激的な素描の優雅へと翻案する彼の秘密、ローマ劫掠以前に早くもラファエッロ主義に及ぼした特別な衝撃力、これらが彼という人物にとりわけ重要な位置を与え、マニエーラの歴史における決定的な転回点に彼を立たせた」（図12）。ブリガンティはサルヴィアーティの遺訓に正しい評価を与え、レリオ・オルシの芸術（図13）を「ミニアチュールで描かれたミケランジェロ主義」と価値づけ、タッデオ・ツッカリをミケランジェロやラファエッロの「亜流《クリシェ》」として性格づけ、バロッチの新コレッジョ主義をマニエリズモの最後の炎と見た。彼によれば、三つのモニュメントを訪ねることによって、イタリアのマニエリズモの歴史をほとんど要約することができる。一五三五年から一五五〇年までを代表するローマのオラトリオ・ディ・サン・ジョヴァンニ・イン・デッコラート（図

ジュリオ・ロマーノ
図 11 ——《巨人族の墜落》 一五二六年〜三五年
マントヴァ　パラッツォ・デル・テ

ペリン・デル・ヴァーガ
図 12 ——《巨人族を雷霆で打つユピテル》一五二八年以降
ジェノヴァ　パラッツォ・ドーリア・ディ・ファッソロ

図13――レリオ・オルシ
《聖カテリーナの殉教》
一五六〇年頃
モデナ　エステ絵画館

フランチェスコ・サルヴィアーティ
図14———《マリアのエリザベツ訪問》一五三八年
ローマ　オラトリオ・ディ・サン・ジョヴァンニ・デッコラート

フェデリコ・ツッカリ
図15———《キリストの鞭打ち》一五七三年
ローマ　オラトリオ・デル・ゴンファローネ

図16――ヴィンチェンツォ・ボルギーニ構想
ジョルジュ・ヴァザーリ下絵
《フランチェスコ一世のストゥディオーロ》
一五七〇年〜七二年
フィレンツェ
パラッツォ・ヴェッキオ

14）、一五五五年から一五七五年を代表するローマのオラトリオ・デル・ゴンファローネ（図15）、そして一七世紀と一八世紀の優雅な教訓的詩想のある面を先取りしているフィレンツェのパラッツォ・ヴェッキオのストゥディオーロ（図16）である。

　事実、マニエリズモは、ある点では国際ゴシック様式もしくは火焔ゴシック様式と類似しており、ほかの点においてはロココ様式と類似している。カルトゥーシュ装飾、様式化された花文装飾、ロカイユ装飾は互いに血縁関係にある。これらの様式すべてにおいて、モードとも呼びうる「マニエーラ」が支配している。それゆえ、これらの様式は、自らに最適の土壌を、趣好と流行の祖国フランスに見いだした。マニエリズモが「モード」の基本的な特質を通して自らを顕わにしたのはこのフランスにおいてである。この特質とは、官能的魅力、逆らいがたく優美な姿態に描かれた女性の裸体、薫り高い花々、優雅な宝石や宝飾品というものであった。マニエリズモはプリマティッチョ、ニッコロ・デッラ・バーテ、ルカ・ペンニらによってフランスへ導入され、フォンテーヌブロー派の作品で花開いた。

　このフォンテーヌブロー派についてはシルヴィ・ベガンのみごとな研究『フォンテーヌブロー派――フランスの宮廷におけるマニエリスム』[☆6]がある。フランスの作品の甘美なまでに装飾的な特質をはかるには、フォンテーヌブロー派の作者未詳の《水と愛のアレゴリー》（ルーヴル美術館［図17］）を、ボッティチェッリの《プリマヴェーラ》（図18）と比較すればよい。この寓意画には、《プリマヴェーラ》がもっていた気どった官能性の遅ればせの反響が見いだされる。この寓意画はまた、ジョヴァンニ・マッキアがその『フランス文学史』[☆7]に書いているように、この優美きわまりない〈花の画家《メートル・ド・フルール》〉をして、ロンサールの名高い「光と甘き薫りに満ちた」頌詩《オード》に接近させている。このフォンテーヌブロー派の画家によるもっとも美しい作品の中に咲き誇っている花は、ロンサールの神々しい詩句――「汝が身体は生けるときも死せるときも薔薇の花」――を想い起こさせる。叙事的な、また英雄的な主題を、ロンサールほどみごとに扱えなかったが、この派の画家の一人アントワーヌ・カロンは、アッピアヌスのテクストから霊感を得てローマ人の虐殺をバレエ風の様式で描いた（図19）。

図17——フォンテーヌブロー派
《水と愛のアレゴリー》一五九〇年頃
パリ　ルーヴル美術館

サンドロ・ボッティチェッリ
図 18——《プリマヴェーラ》一四七八年〜八二年
フィレンツェ　ウフィツィ美術館

アントワーヌ・カロン
図 19——《三頭政治下の虐殺》一五六六年
パリ　ルーヴル美術館

図20－1——ロッソ・フィオレンティーノ
《サラマンダー》一五三七年頃
フォンテーヌブロー宮
フランソワ一世のギャラリー

図20－2——パオロ・ジョーヴィオ
フランソワ一世のドゥヴィーズ
〈サラマンダー〉一五五九年
『戦いと愛のインプレーサについての対話』所収

彼は画面の中に、残忍なものと優美なものを混合させた。というのは、彼の描いた背景は建築様式の見本のようなものだからである。彼の絵画は実際、後期ルネサンスのスペクタクルや凱旋祝祭行進をそのまま反映させたものであり、登場人物は身じろぎもせずにそれらのスペクタクルを象徴する欠くことのできない装飾的役割を担っている。焼き殺そうとするベンガル人の炎にたちむかう乳白色の不動の娘セメレ（その案がカロン自身によるものであれ、ベガンの主張するようにニコラ・ボルリーによるものであれ）はフランソワ一世のドゥヴィーズ（インプレーサ）である様式化された炎の舌に包まれているサラマンダー（図20・1・2）と同様に、エンブレム的である。マニエリストたちの抽象的で気取った芸術はのちに、まさにエンブレム的なものにおいてその真の使用法を見いだしたのである。

（一九四六年［伊藤博明＋若桑みどり］）

ラビュリントス

何年かまえにドイツの研究家グスタフ・ルネ・ホッケは、マニエリスム期とバロック期の世界観はラビュリントスに象徴されていると主張した（『迷宮としての世界』〔*Die Welt als Labyrinth*, 1959〕）。またフィウーメ出身の詩人で文学者のパオロ・サンタルカンジェリは『ラビュリントス――その神話と象徴の歴史』[☆1]という研究を出版し、その中でラビュリントスを世界的に広まった元型的象徴《シンボロ・アルケティーポ》としながらも、いたるところにラビュリントスを認めようとする傾向には警戒を示している。たしかに、初期キリスト教の著述家たち――聖ヒエロニムス、ミヌキウス・フェリクス、テュロスのマクシモス、殉教者ユスティノス――の先例に倣うかのように、早くは一六世紀のユストゥス・リプシウスの『十字架論』（*De Cruce*）やジョン・ダンの『十字架』（*The Cross*）、現代ではポール・クローデルの『七日目の安息』（*Repos du septième jour*）には、いたるところの十字架の形象を見いだすことができる。そして今日では、英文学者のバーナード・ブラックストーン（『失われた旅行者――ロマン主義的主題と変奏』〔*The Lost Travellers, A Romantic Theme with Variations*, 1962〕）が、洞窟という対象にきわだってロマン主義的な――とりわけブレイクやシェリーにみいだされる――徴をみいだし、それを胎内や墓と心理的に結びつけているが、こうした心理的結合はのちに見るようにラビュリントスにも共通している。

美術においても、ラビュリントスやそれと結びついた形象表現――ミノタウルスや洞窟――は看過できない重要な位置を占めており、周知の例として、マントヴァのパラッツォ・ドゥカーレの天井に描かれたラビュリントス（ダヌンツィオはその銘文から小説のタイトルを採っている［図1］）、同じくダヌンツィオの『火』（*Fuoco*）の中のもっとも美しいエピソードに着想を与えたストラのヴィッラ・ピサーニのラビュリントス、ピカソの《ミノタウロス》の連作などをあげることができる。それにもかかわらず、その偏在性は充分に認識されてはいない。その典型的な例が『世界美術百科事典』（*Enciclopedia universale dell'arte*）である。そこでは、「ラビュリントス」（*Labirinto*）の項目は「クシャーン朝美術」（kusana, centori e correnti）と「ラッカー［漆］」（Lacca）の項目（この事典はヨーロッパ外の項目については豊富である）のあいだに見いだされるはずなのであるが見当たらず、ほかの可能性のある項目（ラビュリントスが描かれる「舗床」や「天井」の項目）にもない。かろうじて「庭園と公園」（Giardino e Parco）の項目中（これはまた「日本の諸流派や伝統」［Giapponesi scuole e tradizioni］と「ヨルダン」［Giordania］というヨーロッパ外の項目のあいだにある）にバティ・ラングレーの庭園論から採ったラビュリントスの図版が見られるが、しかしテクストの中にはラビュリントスに関する言及はまったく見当たらない。

こうした欠落が許しがたいというのは、サンタルカンジェリがその研究の結論で述べているように、ラビュリントスという象徴の中には、人間がさまざまな歴史時代に自分自身の運命を表現してきた様式が顕示されているからである。このことはロブ゠グリエの『迷宮の中で』（*Dans le labyrinthe*）の数少ない読者ばかりではなく、交通標識のおかげでラビュリントスになりはてた都市の道路網を徘徊する人間にも明らかであろう。しかし私が、ラビュリントスという神秘的で聖なる起源をもつ象徴を現代生活の卑近な状況のレヴェルに貶めようとしているなどとは思わないでいただきたい。私が考えているのは、多くの進入禁止によってラビュリントスと化した道路網の迷路に慣らされていることが、錯綜した道路網の中で正しい道を見いだすことよりはるかに重大な事態に直面したときの現代人の行動の不確実性に影響を及ぼしているのではないか、ということなのである。今日の精神的指導者や政治家はみなラビュリントス・コンプレックスに悩んでいる。つまり正しい道を見つけだす責務はそもそもはじめから困難なことと考えられ

図1——アントニオ・マリア・ヴィアーニ
《ラビュリントスの間の天井画》一六〇〇年
マントヴァ　パラッツォ・ドゥカーレ

ているのである。

『世界美術大事典』が庭園について述べていることは、そのままラビュリントスについてもあてはまる。つまりラビュリントスもまた、「純粋に装飾的な理由からばかりではなく、文学においても知られたその象徴的価値によって、きわめて重要な図像学的《イコノグラフィコ》テーマとして登場するのである」。アルミーダとリナルドの愛の場面は庭園の周囲をとりまくラビュリントスを想起させる――「その中は抜けでることのできない壁で囲まれ／幾重にもぐるぐると複雑に入りくんでいた……／その真ん中にラビュリントスの庭があった」――が、そこには、ジョヴァンニ・ジェットがその『エルサレムの世界にて』[☆2]で指摘しているように、「入りくんで苦悩に満ち、つかみがたく謎にあふれ、幻滅を誘うとらえどころのない愛にイメージが反映され、またそれと同時に全世界のエンブレムが表現されているかのように感じられるが、このイメージこそタッソの詩想を貫き、またバロック文化を端的に表わすものなのである」。ジェットはさらにこう述べている。「タッソはこのラビュリントスという主題に無関心ではいられなかった。彼の病的で不安な感受性やその憂鬱な詩才にとってラビュリントスは、失われた孤独のイメージとして、また苦悩に満ちたとらえどころのない堂々巡りや複雑にもつれあった幻視の投影として表現されねばならなかった」（それはまさにロブ＝グリエの『迷路の中で』がもたらす印象にほかならない）。「多くのほかの示唆とともに、タッソはまたバロック文化にこのラビュリントスというモティーフを提起したのにちがいない。バロックは、ラビュリントスの中に、そこに含まれる不規則で、不安定で、錯綜として入りくんだ感覚ゆえに、自らに親しみ深い象徴、いやむしろ自らの世界のヴィジョンのエンブレムを見いだしたのである」。

『世界美術百科事典』の庭園についての記述は次のように続いている。「それらすべてから歴史的資料的研究をこの数千年来のほとんどすべての文明に拡張しうる可能性が生じる」。これはサンタルカンジェリが、エレミーレ・ゾッラ（『魂の力』[☆3]［*Le potenze dell'anima*］）と相前後して、ラビュリントスについて述べたことと一致している。「人間にとって本質的なさまざまな象徴やそれらを表わす古代神話は、人間の魂の深層に根ざしたある原初的な力をもっており、それらの意味は忘れられ、それらの神話がもはや見かけのうえでは誕生のときに帯びていた聖なる機能と宗教的エネルギーをもたなくなったときでさえ、人の心を占め、人の心を動かさずにはおかないのである」。

それではラビュリントスの神話がそもそも担っていた聖なる機能、宗教的エネルギーとはどのようなものであろうか。ここで念頭におく必要があるのは、「ラビュリントスは論ずるべき問題ではなく、理性的には解決しえないひとつの神秘である」という点である。ラビュリントスは元型的象徴であるが、ではいったいなんの象徴なのであろうか。「とぐろを巻く内蔵のような」バビロニアのラビュリントスは胎内を暗示し、その洞窟との関連は明らかに女性の性器――快楽と虚無の場所――を暗示している。しかしこのような説明は、ラビュリントスに原始人が狩猟のために用いた罠の象徴を見いだし、それと結びついた舞踏を狩猟で用いられた技術の魔術的な暗示とみなそうとする別の説明とどう折りあうのであろうか。あるいはまた、死者が生の足跡をふたたび見いだすのを防ごうとする牢獄のシンボルなのであろう。C・N・ディーズによれば、ラビュリントスは当初は王の墓所であり、墓の盗掘を防ぐためにつくられたものであった。その後、それは生と死の神秘という最大の神秘と結びついた宗教的儀式をとりおこなう場所の中心となり、最後には宗教的儀式と宗教的信仰の衰退とともに、ラビュリントスの基本形態は単なる美術や装飾のモティーフとして残されたというわけである。ラビュリントスの謎に満ちた意味は、死からの復活と再生へと向かう魂の遍歴、ちょうど魂が天国へ昇るまえにさまざまな試練を受けるプシュケの寓話におけるように、さまざまな障壁によって妨げられる遍歴のイメージと重なりあう。とすると、ミノタウロスはテセウスの「身代わり」、克服されるべき人間の獣性のことであろうか。他方、ミノタウロスは生命と大地のかかわりを連想させ、ファルス的な意味ではなく、こうした指示作用によってのみ豊穣のシンボルと結びついているのであろうか。「その黒い背中やたくましく短い四肢はいかにも土塊から生まれたものを思わせ、したがって地下の世界、地下の力、洞窟と結びついているように思われる」。

いかなる文明においても（サンタルカンジェリはエスキモーからズール族まで幅広い例証を試みているが）。ラビュリント

図2――《テセウスとミノタウロス》
ローマ時代のモザイク画　二七五～三〇〇年
ウィーン美術史美術館

図3――シャルトル大聖堂の舗床に描かれたラビュリントス

スの旅は洞窟の表象とも結びついている。謎に満ちた洞窟世界ではしばしば、その入口近くに年老いた女性——死の番人「母」——がいる。それは『アエネイス』のクマエの巫女《シビュラ》であり（洞窟の入口、冥界の入口にクレタ島の迷宮《ラビュリントス》の図が見られるのは偶然ではない）、ゲーテの『ファウスト』の「大地の母たち」である。洞窟は、女性の性器であるだけでなく、母の胎内であり、子宮であり、「そこから出発し、そこへ向かう、半ば無意識の無化のノスタルジアがいたりつく確固とした場所」である。このことについては、先史学の研究者も異論のないはずであろう。洞窟とラビュリントスは通過儀礼がおこなわれる場所であり、予備的試練の場所なのである。あらゆるラビュリントスには聖なる中心があり、そこにはとらえがたい神秘がたちこめている。この中心は、塔や城、天上の都市として表わされることもある。子宮は征服されるべき都市（首都）あるいは城砦として表現され、その場合、聖なる都市の典型であるトロイアとして表わされ、その征服はまた強姦でもある（ヨーロッパの周縁地においてもラビュリントスにトロイアの名が普及していることは驚くべきである）。要するに中心には常になんらかの神聖なもの、あるいはミノタウロスのような怪物が見いだされるのであり（図2）、そこには無意識あるいは半ば無意識の罪や渇望、そして夢や悪夢が堆積している。人間はしばしばそこに自分自身を見いだす。まさにこの理由で、ラビュリントスの奥には鏡がおかれることが多いのである。探索の果てにたどりついた神秘、隠された神あるいは怪物は、人間そのものなのである。

ラビュリントスのこの神秘的な意味は、当初もっていた聖なる自然力との接触が失われた時代においてもひっそりと生きつづけている。フランスのゴシック聖堂の舗床には、先祖崇拝の化石としてラビュリントスが見られる（図3）。その後数世紀にわたって姿を消したあと、ラビュリントスは一六世紀にふたたび花開き、一七世紀から一八世紀にかけては公園や庭園に不可欠なモティーフとなり（図4）、全面にわたり渦巻き状にカールした、バティ・ラングレーの優雅なロココ庭園のラビュリントスに見られるよう花文字《チフラ》や愛らしい筆致《カリグラフィア》となるのである。最後にラビュリントスのイメージは、叙事詩が民衆版画や「操り人形《プピ》劇」に変化するように、賽子遊びの中にとりこまれて俗化した。この賽子遊びの板状の四二番目の——「危険な」——桝目ラビュリントスの「家」である。しかしまたなぜこうした

図4――アンドレ・ル・ノートル《ラビュリントスの庭》シャンティイ宮殿庭園
ジャック＝フランソワ・ブロンデル『建築教程』（一七七一年〜七七年）

数〔四二〕になるのであろうか。それはおそらく、タロッキにおける四二番目のカードと棍棒〔スペード〕の七のカードに、地獄を旅する人とその背景となる城砦が描かれているからである。こうした驚きに満ちた象徴の連鎖は、束の間ではない永遠の夢にも似ている。

（一九六八年〔森田義之〕）

マニエリスムの奇矯な彫刻

偉大というよりもむしろ独創的で風変わりな芸術作品のいくつかは、ふつうそれを見た人の目に一撃を見舞うほど異様で新奇に満ちているはずなのに、なぜわれわれイタリア人の目を惹くことなく見過ごされてしまうのであろうか。ボマルツォの怪物たちの例を考えてみよう。これを構想したヴィチーノ・オルシーニ公が、ボマルツォの奇妙な彫像群（図1）を見た同時代の人びとが必ず驚くにちがいないと考えていたことは、これらのひとつの台座に掘られたエピグラムで明らかであろう。

眉を顰めることも、唇を固く結ぶこともなく、
この地を通りすぎん人は、賞づることもなし、
世界に名だたる七大不思議を。

実際、アンニーバレ・カラッチが書簡で述べた暗示、そしてベトゥッシが『ラヴェルタ』（*Raverta*）の中でヴィチーノ・オルシーニ公に宛てた長大な讃辞を除けば、イタリア人たちはこの第八番目の驚異にすら関心を払っていないかのように思われる。さらに現代では、ドメニコ・ニョーリがそれについて語っているが、いかなる効果も及ぼさな

かった。わが同胞の好奇心がかきたてられたのはほんの最近のことで、それもサルバドール・ダリがこの場所を「売りこんだ」からにほかならない。同じことは、フィレンツェのズンボが造形した蠟彫刻についても言える。アメリカの偉大な作家ハーマン・メルヴィルがたまたまフィレンツェを訪れ、ほかに見るべきものが数多くあるにもかかわらず、あたかもこの都市においてもっとも印象深いものであるかのようにこの蠟彫刻を書き記すまでは、さらにゴンクール兄弟がデカダン派特有の細部へのこだわりをもってこの蠟彫刻を詳しく描写するまでは、忌まわしいものとしてその正当な評価はほとんど隠されたままであった。

たしかに、イタリアには第一級の傑作が満ちているのであるから、これら常軌を逸したものは黙して通り過ぎてもよい、という人がいるかもしれない。旅行案内書がこのような作品に二つ星や三つ星を与えていたら、芸術の第一級の傑作に加えて奇想《カプリッチョ》にあふれる作品まで訪れる義務を負わされた旅行者たちは溜息をつくことであろう。イタリア人たちは奇矯《ビザッロ》なものを受けいれる目をもっていない。ただし彼らがマカロニの新しい形象を創造するときは別であるが（その種類は一五〇近くにもおよび、それぞれに固有の名がつけられている）。

通例彼らは、奇矯のあるところ、これを無視する。その前を通り過ぎてもなにごともないようなふりをするか、または肩をすくめてみせるのがせいぜいのところである。彼らは、いわばこの世界におけるもっとも正常な心理をもっているのである。すなわち、良識、規範、晴朗、調和は、彼らの内なる音階を次々と上昇していく音符なのである。こうして到達するところは、ダンテの描く天国であり、ラファエッロの描く至上の世界であり、そして当人は不平の声をもらすであろうが、レオパルディの詩の世界である。レオパルディは月《ルーナ》がたいそう気に入っていたようであるが、実は晴朗であり、月に憑かれた《ルナーティコ》「狂気じみた」ところはいっさいなかった。イタリアは、ジェラール・ド・ネルヴァルも、エル・グレコも、フュスリも、一人として生みだすことはできなかった。たしかにミケランジェロに導かれてわれわれは、われわれを呪縛していたこの晴朗を理想とする魔法の円陣からいまにも抜けだしかかっていたのではあるが。

ミケランジェロは苦悩し、奇矯でもあった天才としてイタリアではまことに稀有な例を提出している。グロテスクなものは彼をレオナルドに劣らず魅了した。メディチ家礼拝堂のフリーズ〔帯状装飾〕に彫られた仮面（図2）、《最後の審判》に画かれた洞窟の中で歯をむきだしにしている悪魔の貌（図3）、同じフレスコ壁画の聖バルトロマイの剥がされた皮に浮きでた芸術家の仮面、レダと白鳥の抱擁——これらの作品は、疑いもなく奇矯で異様な世界に侵入しており、イタリアの芸術家にはほとんど見いだすことのできない性質のものである。この夢想《エストロジタ》に満ちた種子はたしかに伝えられてマニエリストたちの中で実を結ぶのである。

そしてまさにこのマニエリスムの時期にはじめて、美術上のわれわれの伝統に一群の奇矯な作品が出現した。もしミケランジェロがフィレンツェのサン・ロレンツォ聖堂の鐘塔を計画どおりに実現していたとすれば、おのずとこの鐘塔は、一六世紀でもっとも、そしてイタリアにとどまらずヨーロッパ中でもっとも意表を衝く作品になったであろう。この計画によれば、この鐘塔はひとつの巨像で、その頭部には鐘がおさめられるはずであった。「そして鐘の音は口から外へと響き、この巨像が慈悲を求めて叫んでいるかのように見えたであろう」。

イタリアの一六世紀の芸術家たちは、怪奇や奇想に満ちたものへの自らの趣好をウィトルウィウスの次の一節によって根拠づけることができた（たとえその一節そのものから手がかりを得たわけではないにせよ）。そこでウィトルウィウスは、建築家のディノクラテスがアトス山を巨人の形姿に変え、その掌に都市全体をそっくり載せようと考えていたことを語っている（スタシクラテスもまた山を巨大なアレクサンドロス大王の像に変えようという考えをいだいていた）。また庭園を壮麗な水の戯れによって飾りたてようとする試みについては、アレクサンドリアのヘロンの著わした『精神の工夫を凝らし奇を衒った働き』から発想を得たのであろう。そこでは、水圧を利用する隠された仕掛けで動く、弓をひきしぼるヘラクレスと龍、法螺貝を吹くトリトンとサテュロスなどの機械仕掛けの自動人形が記述されている。

他方、驚嘆を呼びおこす奇矯なテーマをもつ、二〇世紀のシュルレアリスムのインキュナブラ〔揺籃期本〕と分類することのできるような銅版画のいくつかも、イタリアの一六世紀の作品なのである。すなわち、悪魔的な葬送儀礼

ボマルツォの怪物
図1———《マスケローネ》一五五二年
ローマ近郊　ボマルツォ庭園

ミケランジェロ・ブオナローティ
図2———《夜の擬人像》の背後に彫られた仮面のフリーズ
フィレンツェ　サン・ロレンツォ聖堂　メディチ家礼拝堂

ミケランジェロ・ブオナローティ
図3——《最後の審判》(部分) 一五三四～四一年
ヴァティカン　システィーナ礼拝堂

バッチョ・バンディネッリ
図4——《魔女たち》
ロンドン　ヴィクトリア・アンド・アルバート美術館

に熱中している魔女たちのサバトを描く《魔女たち》と題されたロッソの素描とバンディネッリの素描（図4）である。これらの芸術家の生涯そのものがときおり風変わりで狂気に満ちた徴候を帯びている。[☆1] まさにジュリアーノ・ブリガンティがマニエリスムについての自著の中で適切に概観しているように、「精神が心底から不安におののいた時代」、「きわめて繊細で鋭敏な才能」が「マニエリスムの肯定的な面を構成しているあの奇矯、奇想、情感の焦燥」を生みだした時代である。

若者たちの不安な心はミケランジェロに惹きつけられたが、しかし彼らを動揺させたのは、普遍的《コズミコ》な苦悩ではなく、一世紀あとであったならば無気力と言われたであろうもの、すなわち規範や慣習を厭い、多義性《アンビギュイタ》に満ち、珍奇で、綺想に富んだ優美さ《コンチェットーザ・グラツィア》への漠然とした欲求、奇想に満ちた優雅さ《カプリッチョーザ・エレガンツァ》への漠然とした欲求であった。ラファエッロの晴朗なヴィジョンに倦み疲れた彼らは、ちょうど詩人ジョン・ダンの弟子たちが師の形而上学的な熱情をくみとって自らのささやかな火を灯したように、しばしばミケランジェロのヴィジョンに奇想を求め、生命感にあふれ霊感に満ちた優美さを与え、自らの理想とする優雅さを実現することができたのである。同じようなことは、一六世紀前半のフィレンツェでも起こった。ポントルモ、ロッソ、あるいはブロンズィーノといった若者たちは、ミケランジェロの苦悩し不安におののく魂が自分たちの知的な不安を映しだす鏡であると信じ、背後の闇に入ることなくその鏡の表にだけ向かいあったのである。

ボマルツォの奇妙な影像群は、この一六世紀に特有な文化的風土に適合していることと、とくにその再発見がわれらが同時代人サルバドール・ダリによってなされたという事実だけで、十分に一六世紀のマニエリスムの中に位置づけることができるであろう。ピエルフランチェスコ公、通称ヴィチーノ・オルシーニ公に宛てた一五六四年一二月一二日付の書簡の中でアンニーバレ・カーロの暗示した「ボマルツォの驚異《メラヴィリエ》」という言葉が、もしこれら怪物を表現した影像を指していたならば（それ以外の解釈はむずかしいと思うが）、これらの影像は、プラトリーノの庭園の池の辺にジャンボローニャが据えつけたアペニン山を寓意する巨大な擬人像（図5）に、またローマのパラッツォ・ツッ

図5——ジャンボローニャ
《アペニン山の擬人像》
一五六九年〜八一年
フィレンツェ郊外
ヴィッラ・プラトリーノ

フェデリコ・ツッカリ
図6——ツッカリ邸ファサード　一五九〇年〜九八年設計
ローマ　グレゴリアーナ通り

ジャンボローニャ
図7——《動物の群像》一五六五年以後
フィレンツェ郊外カステッロ　ヴィッラ・メディチ

セバスティアーノ・デル・ピオンボ
図8——《巨人の頭部》
ローマ　パラッツォ・ファルネジーナ「ガラテアの間」

カリの中庭に通じる入口の門と窓にほどこされた装飾（図6）に先駆していたことになるであろう。一六世紀の最後の一〇年間に制作されたこの門と窓の装飾は、明らかにボマルツォの庭園でもっとも目を瞠らせる怪物のひとつを想い起こさせる。ボマルツォの怪物の方では、小さな部屋の入口は大きく開かれ歯をむきだしにした口の形をし、その小窓は嘲笑う怪物の眼となっている（図1）。巨人崇拝の風潮はあまねく流布していた──セバスティアーノ・デル・ピオンボは、パラッツォ・ファルネジーナの「ガラテアの間」の半円区画《ルネッタ》のひとつに巨人の頭部を嬉々として描いた（図7）──のであり、ここでパラッツォ・ツッカリの入口の装飾とボマルツォの怪物のいずれが先か論じることはほとんど意味をもたない。

プラトリーノのアペニン山を寓意する巨人像は、テラコッタの芯に漆喰を塗ることで造形され、ボマルツォの怪物たちよりもはるかにみごとにヘレニズム芸術の伝統に連なっている。鍾乳石の形に垂れ下がった長い髭と、石灰質の小枝からなる冠をいただいたこの巨人像は、一六世紀に大いに流行した装飾洞窟風の建築の中でもっとも大胆な表現である。[☆2]この彫像は、子どもたちが初雪が降るとこしらえる雪の巨人像（この喩えはヴェントゥーリによる）[☆3]より、むしろ彼らが砂浜に築く砂で固められた城を想い起こさせる。ヴェントゥーリが述べるには、「彼はただ大きな塊をつくった。それは芸術というよりもむしろ、好奇心をいだかせ楽しみを与えるものである」。

ヴェントゥーリ自身が「本当のところ、どことなくいかがわしい趣好」と呼んだのは、カステッロにあるヴィッラ・レアーレの洞窟のジャンボローニャによる粗野な装飾であり、そこでは飾りたてられた水盤の上に置かれた大きな動物たちの三つの群が、あたかも豪奢な食器ケースに展示されているかのように順序よく配されている（図8）。そして野獣も家畜も、フランドルの細密画家ルーラント・サーフェリーならば地上の楽園に住まわせてしまいたくなるであろうほどに平和に共存している。このジャンボローニャの奇矯はフランドル派の趣好である。これらの構成を前にしてヴェントゥーリが述べざるをえなかった「どことなくいかがわしい趣好」という非難や、そしてわれわれがときおり目にするほかの奇矯な彫刻に対して人々が浴びせる非難には、明らかに美術を晴朗を良しとする大文字のそれに

ピエトロ・タッカ
図9——《海の怪物を配した噴水》一六二九年
フィレンツェ　サンティッシマ・アヌンツィアータ広場

閉じこめ、二流《ミノーリ》の作品を珍奇なものの中に追いやろうとする正統派《オルトドッソ》的な視点が存在している。これらの作品の前に足をとめることは、「卑しき欲望」の罪に堕ちることである。「それらについて考察することなく、ただ眺め、通り過ぎよ」。

しかしながらヴェントゥーリも、フィレンツェのサンティッシマ・アヌンツィアータ広場の噴水にあるピエトロ・タッカの優美な怪物には、たいそう寛大なようである(図9)。「幻想的な存在、海草のあいだから生まれた海の猿。ここでは涼やかの水の中ですべては躍動し生きている」。これらには中世の聖堂に備えられた吐水口《ガルゴッラ》の怪獣像のような粗野な猛々しさはなく、洗練されたアレクサンドリア風の優雅さが、あらゆる曲線に、あらゆる窪みに、また恐ろしげではあるが優雅で粘着質でしなやかな身体のあらゆる形姿に具わっている。

人間の筋肉をもった腕、薊のように棘で

おおわれた上翼、その縁に沿ってぎざぎざの突起が並ぶ貝殻様の耳、巡礼者の帽子を飾る帆立貝の殻の模様のように丁寧に一本一本、櫛で調えられた鼻孔の下の震える剛い口髭、膝から下が蛇と化してとぐろを巻き、ひきのばされたその先はメドゥーサの螺旋となって胸の周りにぐるぐると巻きつく脚、こうした形姿はさらに、あたかも古代起源のアラベスク文様に描かれた寓話上の創造物たちを彫刻に翻案したかのようであり、すべての形姿が整合して完結する一個の全体を構成し、複雑な形姿を具えた一匹の昆虫を思わせる。これは野菜や果物や機械の形姿をモザイク状に巧みに組みあわせて人間の容貌を創案したアルチンボルドのグロテスク絵画の、水に棲む兄弟なのである。

タッカの手になるほかの噴水装飾（フィレンツェ、バルジェッロ国立美術館［図10］）では、犬の頭と人間の胸部と海亀のたくましい鰭とが合体されている。ボーボリ庭園の池に浮く小さな島に置かれた水盤の噴水の、おそらくはタッカの手になるもうひとつの彫像は、メドゥーサの蛇の頭髪とハルピュイアの爪をもち、曲線を描く水盤の鉢を支える底部には、怪物の螺旋状に巻きつく鱗におおわれた肥大した脚が見える。ヴェントゥーリはこれらの魅力的な両棲類を、ジャンボローニャの造形した《小悪魔》（フィレンツェ、パラッツォ・ヴェッキエッティ［図11］）の末裔と見た。

この《小悪魔》は、この小彫刻の薄い膜といい、外皮といい、カルトゥーシュ装飾といい、動物の四肢というよりは建築の細部から暗示を受けたものであって、明らか

図10——ピエトロ・タッカ《怪物を配した噴水》フィレンツェ　バルジェッロ美術館

にミケランジェロから想を得たものであることを示している。「バロックは常軌の逸脱とグロテスクなものから始まる」とヴェントゥーリは述べたが、しかしこれらのタッカの作品についてはむしろマニエリストたちに親しまれた「蛇状曲線《リネア・セルペンティナータ》」の勝利というほうがふさわしいであろう。この蛇状曲線こそ、ロマッツォの理論書が記録し、のちのホガースが『美の分析』（*Analysis of Beauty*）の中で採用し、美の範例として提示したものである。

図11——ジャンボローニャ《小悪魔》一五六三年頃 フィレンツェ パラッツォ・ヴェキエッティ

この蛇状曲線への熱狂は、その遅ればせの反響を一八世紀のフランチェスコ・ベルトス[☆4]（一七三三年には存命していた）のブロンズと大理石による驚くべき彫像群（図12）に、そして彼の追随者アゴスティーノ・ファゾラートのピラミッド型に構成された躍動する小さな人物たちの大理石像（図13）に見いだすことができる。ペトルスの彫刻もまた、最近関心が寄せられたという点で、ボマルツォの怪物たちと似ている。一九二八年にはじめて雑誌『デーダロ』（*Dedalo*）の中で、ウィーンのアウグスト・レーデレル・コレクションに収蔵されていたブロンズのアクロバティックにからみあう彫像群に言及したのは、レオ・プラニシヒであった。[☆5]

彼はまさにこの作品に欠けているものを指摘している。それは「固定された視点である。この作品はそれを見るときはいつもわれわれに新鮮な姿をさしだす。あたかもこの彫像が、内に秘められた中心の力によって動かされ、常に異なった外観をわれわれの眼前に提示しているかのようである」。また彼は、「若い家族全員を集めて立体的な絵画を

図12――フランチェスコ・ベルトス
《勝利》一七〇〇～一〇年
シカゴ　美術史研究所

図13――アゴスティーノ・ファゾラート
《反逆天使の墜落》一七五〇年頃
パドヴァ　パラッツォ・パパファーヴァ

描いたかのように」、またマネキン人形のように、互いに似通っている小人物像群の驚愕を与えずにはおかない表現について述べ、「ベルトス一人で考案し、彫刻によって、神の加護のもと、制作し、造形し、完成させた」というこの芸術家の署名も記録している。

ほかにも彼は、ウィーンのアルフォンセ・フォン・ロートシルト男爵のコレクションに、またそれよりまえにパリのド・ポーレ夫人のコレクションに、同じような彫像群があることを探しだしている。そして彼は、これらの彫像群のうちの二作品に表わされた後ろ脚で立つ馬と鹿の像に、一六世紀のドイツ（アウクスブルクとニュルンベルク）の金細工や象牙に彫られた群像との関連を見いだした。彼の論考では、トリノの王宮にあるベルトスの大理石像の記述が続くが、彼にその存在を教えたのはウンベルト皇太子である。「四季の寓意」、「奇想に満ちた創意」、「幻想の戯れ」とプラニシヒによって形容されたこれらの大理石像からは、当時の音楽の趣好を感じとれるかのようである。これらの作品の中でもっとも人物の数も多く構成も複雑な作品は、ヨークシャーのニューバイ・ホールにある《キリスト復活》の大理石像であり（彫像郡中のいくつかの像は、二人の人物がひとつのまとまりを構成し、かれらはアクロバットの演技の「台」と「上乗り」よろしく、一人は別の一人の上に載っている）[☆6]、その中でも最高の傑作は、鎌を携えた〈テンポ（時）〉と喇叭を手にした〈ファーマ（名声）〉である。

ヴェネツィア人アゴスティーノ・ファゾラートは一八世紀半ばに、ジャンボローニャの《サビニの女の略奪》（図14）というマニエリスム的主題（それはフィレンツェのロッジャ・ディ・ランツィで見ることができる）を発展させ、それにロココ的で優雅な変更を加えて、さながらバレエの場面のように改作してみせた。一方パラッツォ・パパファーヴァの《反逆天使の墜落》（図13）は、ドレスデンのグリューン工芸美術館やミュンヘンのバイエルン国立美術館に収蔵されている彼の代表的な象牙に彫った造形作品を、より堅固な材質、すなわち大理石に彫りなおしたものである。[☆7]

こうしてわれわれは「美術骨董品」（articles of virtu）という領域にまさに踏みこんでいるのである。ジャンボローニャの機敏な肉体の目眩くばかりの螺旋運動は、サーカスのバランス芸として演じられるようになった。後期マニエリ

図14——ジャンボローニャ
《サビニの女の略奪》（台座除く）一五八二年
大理石　高さ約四メートル一〇（台座込み）
フィレンツェ　ロッジャ・デイ・ランツィ

スムに含めてよいこのファゾラートのアクロバティックな作品については、まさに「本当のところ、どことなくいかがわしい趣好」と裁定することも可能であろう。《反逆天使の墜落》がひとつの大理石の塊から彫りだされた六〇体の小人物像から構成されていることを考えれば、なおさらそう感じても不思議ではない。

　このフォゾラートの群像についても、近代人ではじめてこの奇矯な彫刻に衝撃を受けたのは、イタリア人ではなく、『白鯨』の作者であるハーマン・メルヴィルである。彼は、旅日記の中で一八五七年四月一日のパドヴァ滞在に触れ、次のように記している。[☆8]「《悪魔の王とその軍隊》（《反逆天使の墜落》）を見るために、パラッツォ・パパファーヴァを訪れる。悪魔のポーズは美しい、それは皿に盛られた細いパスタのようにからみあっている」。この最後の喩えは、ファゾラートが造形した、こきざみに歩み、蛇状にうねる人物像を巧みに表現している。

　しかしファゾラートの彫像群は、パラッツォ・パパファーヴァをとりまくヴェネト地方の、破風《フロントーニ》に整然と均衡を保つ彫像を配したヴィッラの数々にみごとに適合している。これらの彫像はヴィッラの特徴ともなっていて、さながら金細工の作品やテーブルの上に置かれる装飾美術品の趣を建築に与え、また勝利の凱旋を演出する人工的な装飾装置に見られるようないささか華美な壮麗さを建築にもたらしている。それらは、テアトロ・オリンピコのいかにも本

図15——《怒れる騎士》
パドヴァ　バーニョリ・デ・ソープラ　ヴィッラ・ウィドマン
図16——《怪物の顔》
フラスカーティ　パラッツォ・アルドブランディーニ
図17——ピエトレ・ドゥーレの礼拝堂
フィレンツェ　サン・ロレンツォ聖堂　メディチ諸侯の礼拝堂

OSMVSIMDVX ETR
FERDINANDVSIMD ETR

物らしく見える緻密な舞台装置であるかのような、またイエズス会の祭典に打ちあげられる壮麗な花火であるかのような、雰囲気をかもしだしている。

破風に配された彫像は旧弊固陋《アッカデーミコ》なものなので、けっして人の眼を驚かすものではないが、一方庭園の彫像では空想《ファンタジーア》がその翼を広げている。その例として、トレヴィーゾのコヴェロ・デ・ペデロッパのヴィッラ・カラジアーニの庭園に立つ衣裳を翻す女性の人物像は、冥府を守る番犬ケルベロスのように三つの頭をもち、あるいはパドヴァのバーニョリ・デ・ソープラのヴィッラ・ウィドマンの《怒れる騎士》（図15）の人物像は、この騎士を絶望させているたいへん微妙な理由を推測しうる、開いたブラゲッタ［ズボンの前開き］を見せている。また、ヴィチェンツァのヴィッラ・ティエーネやヴェローナのフマーネ・デ・ヴァルポリチェッラのかつてのヴィッラ・デッラ・トッレには、大きな仮面の形をした暖炉があり、☆9 その開口部はちょうどパラッツォ・ツッカリやボマルツォ、そしてフラスカーティのパラッツォ・アルドブランディーニの庭園装飾としてのグロッタ（図16）のように怪物の口を模している。

フィレンツェのマニエリスムの優雅な彫刻たちは、言葉のうえであれ、造形のうえであれ、素材《マテーリア》との恋に落ち、衰退していくフィレンツェ芸術の魅惑にあふれる独自の美を考案し創出した世界に属している。それは、アレッサンドロ・アディマーリがソネットで「多くの欠点をもちながら、しかも愛すべき麗しい」女性たちを詠うことにその才能を発揮し、ブロンズィーノが水晶を思わせる幾何学的な鋭い輪郭をもつ建物や柱廊を背景に魅惑的な宝石の輝く衣裳をまとった大理石の肌をもつ人物像で満たした、かのフィレンツェである。すべてが高貴さに満ちた素材、非‐自然的なもので自然を表わすというパラドクスに満ちながらも調和する機知に富んだ形態《フォルマ》からなっている。それは、かのフィレンツェ、《ピエトレ・ドゥーレの礼拝堂（メディチ諸侯《カペッラ・ディ・プリンチピ》の礼拝堂）》（図17）の中で、床にはめた小石モザイクの幾何学的模様が水滴に濡れるむきだしの鍾乳石のグロッタの中で厳かに凍りつき、そのグロッタの薄明の中で多義性に満ちた神々《ヌーミ》の像がかすかに白く浮かぶ、かのフィレンツェである。

（一九六〇年［伊藤博明＋上村清雄］）

グロテスク

　イタリアの文学と美術は幻想的《ファンタスティコ》なものに乏しい。いや、それは豊かであるといかにラファエーレ・カッリエーリが強弁しようとも、これは事実である。また想 像 力《イマジナツィオーネ》と幻想力《ファンタジーア》とは当然異なる能力とする古来からの区別を引き合いに出して、そこに新しい意味合いをこめるならば、なるほどイタリア人に想像力はあるが、しかし魑魅魍魎《ファンタスミ》を生みだす能力――とりあえずは「幻想力」という言葉にこの意味をあてておきたい――は欠けているのである。この意味においてならば、ダンテやアリオストにもその例が見いだせるのではないか、と考える向きもあろう。しかし中世美術の世界で、魑魅魍魎が次から次へと放恣に溢れでたのは、アルプスより北のヨーロッパの世界であった。これらと比べればダンテの魑魅魍魎はよく訓練されたローマの大軍団《レギオン》（いやむしろ寄せ集めの隊列というべきか）と思われるほど印象的に隊伍を組んでいるが、やはり質も量も貧弱なのである。さらにルネサンスの世界では、アリオストの詩に奇矯の趣があるとはいえ、その複雑な語り口の前提となっているのは古代の典拠であるし、その奇矯にしても、イタリアの国民性の徴であるシンメトリカルな構造の中に閉じこめられているのである。

　グロテスク装飾といえどもその例外ではない。この装飾はかつてイタリア人によって「ラファエッロ風《ラファエッレスケ》」とも呼ばれ、とくにウルビーノでつくられる陶器にこの呼称が用いられていた。しかし、このいささか見当ちがいな呼称――ラファエッロ自身の手になるグロテスク装飾はほとんど知られておらず、のちに見るようにヴァティカン宮殿のロッジャの装飾（図1）を実際に手掛けたのはジョヴァンニ・ダ・ウーディネであった――も正当性をまったく欠いているわけではない。というのは、あの洞窟《グロッタ》、つまり皇帝ネロの〈黄金宮殿《ドムス・アウレア》〉の廃墟に発見された形象（図2）に触発されて、一六世紀イタリアの建築装飾にあの奇怪な小さな被造物たちが突然進入したが、しかしながらそれらの小さな被造物たちは、たちまちのうちに飼い慣らされて、調和的な体系に変貌させられてしまったからである。そしてこの変容はまさに、イタリア芸術にもっとも固有な、イタリア芸術の真髄であるラファエッロの静謐で調和的な精神にもとづいていたのである。

イタリア美術と文学がともに偉大であったのは、この世界の中にこの調和の原理への信奉が満ちていたときであった。そしてそれが堕落したのは、この原理が別のものに、ゼードルマイアーの巧みな定義にしたがえば、「中心の喪失」とでも呼びうるようなものに、すなわち中心を失い抑制を解かれた幻想力を具えるロマン主義的な精神に置き換えられたときである。このロマン主義的な精神にイタリア人がおりあいをつけることを余儀なくされると、不可避的に精神の弱体という現象を惹き起こすことになる。つまり彼らには、この種の精神性《メンタリタ》が、すなわちこのロマン主義的な精神と順応するのにふさわしい精神の枠組みがもともと具わっていなかったからである。

この幻想の力を駆使した、ボス、ブリューゲル、シェイクスピア、セルバンテス、エル・グレコ、ゴヤ、ホフマン、スターン、ブレイク、ゴーゴリ、ドストエフスキーなどの表現は、イタリア人の能力の範囲をはるかに超えている。マンゾーニはシェイクスピアの衣鉢を継ごうとしたものの実際に書くことができたのは『アデルキ』（*Adelchi*）であり、フォスコロはスターンを翻訳することはできたものの模倣はかなわず、ステケッティの詩は寛いだボードレールにしかなれず、ランドルフィの小説はゴーゴリのミニチュア版にすぎない。

アメリカ大陸にいるラテン人たち、すなわちラテン・アメリカの人々がひとりのボルヘスを生んだというならば、たしかにイタリア人たちはイタロ・カルヴィーノ（Italo Calvino）をもっている。しかしカルヴィーノは、この名前が象徴的に語っているように、カルヴァン（イタリア語表記ではCalvino）――もちろんかの宗教改革者のことを言いたい

図1——ラファエッロとジョヴァンニ・ダ・ウーディネ〈ロッジャの装飾〉一五一七年～一九年
ローマ　ヴァティカン宮殿

図2——ドムス・アウレア　第六一室

のであるが――と同様に、けっしてイタリア的（italo）ではないのである。ブッツァーティはカフカになれず、ボルジェーゼが小説『ルベー』（Rubè）でなにかしらを、ドストエフスキーもしくはソログープから想を得ようとしても……。だがこのエセーの意図は、このような非難を並べて抗議の嵐を巻き起こすことにあるのではないし、「神話に関する説教」についての論争を蒸し返すことにあるのでもなく、またイタリアの芸術家や文学者たちの振る舞いの規範を教示することでもない。ただグロテスク装飾を対象としたはじめての本格的な研究書、ニコル・ダコス女史の『黄金宮殿の発見とルネサンス期のグロテスク装飾の形成』[☆1]の結論が、実はイタリア人の幻想力について、いままで私が述べてきたことのすべてを肯定するものにほかならない、ということを示したいがためである。

黄金宮殿とは、コロッセオと向かいあうオッピオの丘の上に建てられた広大な宮殿の名称である。それは、共和制時代のローマの四分の一をすっぽり覆っていたほど広大なものであった。それでも皇帝ネロにしてみれば、この規模でどうにか自らの威厳を保てると考えていたのである。この宮殿がルネサンス期に誤ってテルメ〔古代ローマの公衆浴場〕と考えられたのは、ネロに続く皇帝たちであるトラヤヌスとティトゥスがこの宮殿の上に「ティトゥスのテルメ」と呼ばれたテルメを築きあげたからにほかならない。今日この洞窟を訪ねたとしても、カヴァフィスの「響鳴する歩み」の背景に浮かびあがる情景がそのままそこに見いだされるとは考えないでいただきたい。

　珊瑚の鷲に飾られし黒檀の寝台の上に、ネロは深く眠れり……されどエノバルボ一族の古き守護神を納めしアラバスターの間にては、古代の祖神の不安は如何ばかりぞ。その住処に隠れ住む小さき神々は震えおり。……そは異様なる轟音、死をもたらすべき音のきざはしを昇り来たるを聴きしがためなり。その鉄鎖の歩みはきざはしを震わせり。いまや哀れなる祖神は、呆然自失して祭壇の背に己を埋め、互いにぶつかり。逆しまに落ちゆけり。彼らは悟れり、かの響きの何たるかを。彼らは知れり、復讐の女神エリュニスたちの足音なりしことを。

実際にルネサンス期に発見されたとき——正確な時期はわからないが一四八〇年頃——には、復讐の女神エリュニスたちの歩みは神話の中から抜けだしてまさに現実の存在となり、この黄金宮殿に無数の足音を響きわたらせた。オッピオの丘の頂きにいつとはなくできあがった開口部を通って、ルネサンスの人々は情熱を下へ下へと向け、四つん這いになって奥へと這い進んだ。天上は照明の火で煤け、壁は一面に署名で覆われた。その結果、空気や湿気にさらされ、ほどなく古代の壁画や漆喰装飾は徐々に徐々にと崩壊しはじめ、現在ではわずかに壁画の仕切りの名残とその痕跡が見られるだけである。しかし発見された当初は、この壁画もその形姿にいまだ生命を保っていたのである。それゆえ、芸術家たちはわれ先にと競って、素描や水彩に、穹窿天井や壁画の上半部に描かれた装飾を隅から隅まで記録にとどめようとした。

フランシスコ・デ・オランダは金色の穹窿天井を写し、『コデクス・エスクリアレンシス』（*Codex Escurialensis*）の作者でギルランダイオの弟子の一人の画家は黒色の穹窿天井を模写した（図3・4）。さらに漆喰装飾で飾られた穹窿天井や地下の柱廊まで探査され描きとどめられている。ポンペイ第四様式に属するこのタイプの壁画装飾は、コロッセオや皇帝ハドリアヌスのヴィッラなどにもその例が見いだされており、ルネサンスの人々にとってはすでに周知のものであった。しかしひとつの宮殿がそのまま、それも地下から発見されたということは、まさに人々の眼に奇跡と映って、ここを訪れることがひとつの熱狂にも似た流行となったらしい。人々にこうした熱狂をかきたてさせた心理的要因は、ダコス女史が指摘しているように、地下という場所の神秘性に求められるであろう。事実、これと同じ現象は、三世紀も経たないうちにポンペイとヘルクラネウム（エルコラーノ）が発見されるとふたたび惹き起こされることになる。

たしかにポンペイやヘルクラネウムの壁画装飾のモティーフのいくつかは、当時の人々にとってはすでによく知られたものであった。それにはさまざまな生の営みを謳歌する小アモルの姿をあしらったモティーフを想い起こしていただければ十分であろう（図5）。このモティーフは、一七世紀のエンブレム文学においてすでに発想の源となって

図3———ドムス・アウレア　第三八室　《梟の天井》

　　　　図3のスケッチ
図4———ギルランダイオ工房
　　　　『コデクス・エスクリアレンシス』 第三四葉

左ページ
図5———〈小アモルたち〉
　　　　ポンペイ　ヴィッティの家　七〇～七〇年

　　　　ジョゼフ＝マリー・ヴィアン
図6———《売りにだされた小アモル》 一七六三年
　　　　フォンテーヌブロー　フォンテーヌブロー城美術館

いた。このように周知のものであったとはいえ、このタイプの装飾がふたたび地下から発見されたことは、芸術を愛する人々の精神を熱狂させ、新古典主義という新しい様式の誕生に大いに貢献したのである。黄金宮殿にせよポンペイにせよ、装飾のオリジナルが発見されたことがいわば触媒となって、すでに底流となっていた趣好を時代の主流とする働きをなした。「グロッタ」の発見は、一五世紀後半に見られたひとつの傾向を加速させたにすぎない。聖堂の内部の扶壁柱《レノーゼ》や付柱《ピラストロ》に描かれた燭台のモティーフには、すでに古代ローマ風の浅浮彫りのそれが模倣されていた。そしてこうした慣習は、これらの浅浮彫りの原型を実際に眼にすることができたローマだけではなく、フィレンツェやパドヴァをはじめ、地上に古代の遺跡があふれていたすべての場所に流布していたのである。

現代のわれわれから見ると、黄金宮殿の発見から当時の芸術家たちが受けたであろうもっとも強烈な衝撃は、はじめて眼にする絵画の印象主義とも呼びうる描写形式であったにちがいない。しかしながら、この印象主義的な様式に興味を抱いた当時のルネサンスの芸術家はほとんどいなかった。模写はしたが、その様式といえば、まさに優雅に丹念に描くルネサンスのそれである。これとまさに同じように、ポンペイ起源の装飾のモティーフもまた、それが発掘された一八世紀風のスタイル――いかにも一八世紀風の甘ったるさを有するヴィアンの絵画《売りにだされた小アモル》（図6）を想い起こしていただきたい――の中にとりこまれてしまった。ルネサンスの芸術家は、黄金宮殿のフレスコ壁画を自らのスタイルに翻案しただけではなく、壁画の装飾自体もシンメトリカルに変えてしまい、明確なリズムをもつ構成に結晶化させている。それはちょうどのちに、ピンダロスの頌歌の一八世紀の模倣者たちにも見られた態度で、彼らはそれをほとんど、やや自由なペトラルカ風カンツォーネの言葉を用いて歌っている。

イタリア人たちは、馬鹿騒ぎをするにもある方法論をもっていた。すべての者が同じというわけではないが、彼らはその道に通じているのである。ロベルト・ロンギはこう書いている。「ルネサンスのグロテスク装飾の絵画は、純然たる建築装飾を図解的に歪曲したものと考えられ、その表現はけっして芸術と区別されるものではない。なぜなら、韻律の軽い強迫観念をもったその線は叙情性をたたえているからである」。この韻律への強迫観念は程度の差こそあれ軽いものであったが、ある画家たちにおいては重くのしかかっている。

たとえばピントゥリッキオがそうであり、彼はサンタ・マリア・デル・ポーポロ聖堂内のローヴェレ家礼拝堂に、はじめて色彩豊かなグロテスク装飾を実現した（図7）。グロテスク装飾は、元来、すでにルネサンスが古代の浅浮彫りを翻案した燭台の装飾や果物の花綱装飾の個々の要素そのものを装飾するという役割を担うものであった。ペルジーノ（図8）とギルランダイオの場合には、それはさらに重くのしかかっている。だが一方、フィリッピーノ・リッピとなると、それは軽くなり、その幻想力ゆえにアルプス以北の表現により近くなる（図9）。

アルプス以北の表現のように彼の装飾には、異形なものや奇怪なものが積極的に採りいれられ、またそのモティーフも植物界から動物界へと自在無礙に通行している。オルヴィエート大聖堂内のサン・ブリツィオ礼拝堂腰羽目の部分の、シニョレッリの手になるグロテスク装飾は、付け柱をのりこえて壁面へと伸びていく。この画家は、黄金宮殿の「グロッタ」に見いだされたモティーフから自由に想を得て、それらを自在に組みあわせ新しい混淆種をつくりだした（図10）。そこには溢れんばかりの生命力が与えられ、それらが倦むことなく活発に変容をとげるさまはまさにゴシックの怪物たちを髣髴とさせる。

シニョレッリのあとを継いで、モンテ・オリヴェート・マッジョーレ修道院の装飾をてがけたソドマは、グロテスク装飾にさえ感興の趣を与え、猿の形姿を織りこんでいる（図11）。これは一八世紀の「サンジェリー」［猿が人間の行為を真似る絵画］に先駆するものである。また悪戯の好きなゴシックの記憶であろうか、聖母を描く肖像画家は、本来そうあるべき聖ルカではなく、聖人を悪魔の姿に置き換えている。アミーコ・アスペルティーニは、ボローニャのサンタ・チェチーリア礼拝堂で、古代のグロテスク装飾の建築モティーフを模倣した最初の画家である（図12）。ラファエッロは、こうした装飾にはほとんど関心を示さず、自らの手で制作したグロテスク装飾はわずかに二点──《聖母戴冠》と《十字架降架》の祭壇装飾──のみであるが、このタイプの装飾を発展させたのはラファエッロの流派である。それは、とくにジョヴァンニ・ダ・ウーディネの仕事によっている。ヴァザーリがみごとに言い表わしている

図7――ピントゥリッキオ
〈天井画の装飾〉一四八九年～九二年
ローマ　サンタ・マリア・デル・ポーポロ聖堂　ローヴェレ家礼拝堂

図8――ジョヴァンニ・ペルジーノ
〈聴聞の間の装飾〉一四九六年～一五〇〇年
ペルージャ　コレッジョ・デル・カンビオ

図9――フィリッピーノ・リッピ
〈ピラスターの装飾〉一四八八年～九三年頃
サンタ・マリア・ソプラ・ミネルヴァ聖堂　カラファ礼拝堂

図10――ルカ・シニョレッリ
〈グロテスク装飾〉一四九九年～一五〇二年
オルヴィエート大聖堂　サン・ブリツィオ礼拝堂

図11——ソドマ
〈付け柱の装飾〉一五〇五年〜〇八年
モンテ・オリヴェート・マッジョーレ修道院

図12——アミーコ・アスペルティーニ
〈ピラスターの装飾〉一五〇五〜〇七年
ボローニャ　サンタ・チェチリーナ礼拝堂

図13——ラファエッロ・サンツィオ
〈付け柱の装飾〉一五一七年〜一九年
ローマ　ヴァティカン宮殿　ロッジャ

図14——ラファエッロとジョヴァンニ・ダ・ウーディネ
〈天井装飾〉一五二〇年後期開始
ローマ パラッツォ・マダマ

ように、グロテスク装飾は「ジョヴァンニ・ダ・ウーディネの心と精神に浸みわたった」のである。
ラファエッロはまず、グロテスク装飾をビッビエーナ枢機卿の温浴室の装飾に利用し、次いでヴァティカン宮殿のロッジャにこの装飾を展開させるが、ここでラファエッロはかなり厳格で調和のとれた構成からなる全体の意匠を与えただけである（図13）。ロッジャのグロテスク装飾における花や果物の描写という自然主義的な要素を導き入れたのはジョヴァンニ・ダ・ウーディネであるが、彼はそれを、フランドル人たち、そしておそらくはクリヴェッリからも学んだ。彼の偉大な革新のひとつは装飾の背景を白地にしたことであるが、これもまた古典古代の例に倣ったものである。彼の描くグロテスク装飾には、動物や静物、風景や風俗描写が描かれているが、ラファエッロの、調和を求める古典的な美学がそれに抑制を加えている（図14）。つまりは、その自然主義的な描写自体も幻想的《ファンタスティコ》なものからの逃避であった。古代のグロテスクの形象に人々が加えようとした解釈は、ちょうどオウィディウスの『変身物語』やアリオストの『狂乱のオルランド』の波瀾万丈の物語に、道徳的な教訓譚を見ようとしたのと同じタイプの象徴的意味における解釈なのである。しかし、このような道徳化をもってしても、反宗教改革からグロテスクの形象を救うことはできなかった。反宗教改革によって放逐されたのちグロテスク装飾がふたたび陽の目を見るには、新古典主義者たちの到来まで待たねばならず、そのときグロテスク装飾はさらにいっそう様式化されて現われることになる。そして、新古典主義者たちに汲めども尽きせぬモティーフの総覧を提供したのは、ほかならぬヴァティカンのロッジャであった。

（一九七〇年〔伊藤博明＋上村清雄〕）

ボマルツォの怪物

イタリアほど変化に富む世界はほとんど類を見ない。山あり谷あり肥沃な土地あり荒野ありといったイタリアの景観で、そのミニアチュールとも言うべきシチリア島とかつてジェノヴァ領であったコルシカ島に再現されていないものはない。しかし人間の技巧《アルテ》がほどこされると、いかに変化に富んでいようとも異国趣味の景観は排除され、その場所は、明確にイタリア的な様相を帯びることになる。この原則に例外はない。ローマから車で二時間足らずでいくことのできる、したがってほとんどローマの驚異のひとつと数えられるあの場所を見るまで、私はそう思っていた。そこは風変わりで奇怪な彫像群が灌木のあいだに散在する場所である。それらはインドや中国の香がたちこめた不気味な空間を連想させ、カターニャの中央広場や『ポリフィルスの狂恋夢』（*hypnerotomachia Poliphili*）の挿絵やベルニーニの手になるローマのサンタ・マリア・ソプラ・ミネルヴァ広場のオベリスクを背に乗せた象よりもむしろインドのスプラフマニア寺院の象を想わせ、またイタリアのある広場を飾るドラゴンや後ろ足で立つ怪物ヒッポグリフよりもインド南部のマドゥライの古代遺跡の彫像たちをはじめとして、北京市西部の南口近くの〈神道〉の彫像たち、山西省を南流する汾河を守護する一角獣《ユニコーン》を連想させる。

ところで、パドヴァの近くにあるヴィッラ・カタイオは、うっかりすれば、ヴェネツィアの旅人たちがお伽噺さながらに「カタイ」（katay［中国］）と物語った中国にゆかりのある邸館、マルコ・ポーロが「目を瞠るほどこのうえなく美しい」と描写したフビライ汗の大理石の邸館とまちがいかねない（ヴィッラ・カタイオは実際には壮麗な邸館などではなく、「むだな虚飾よりも実用性を主眼とした」田舎家で、一六世紀後半に建造されたころから「カタイオ」と呼ばれていた）。そこには巨人像を配した中庭があり、オビッツィ一族の血を引くピウス・エネアス二世は一六四〇年頃、その壁龕に象をはじめサテュロス、プット、セイレーンなどの彫像を配させたが、それらは数多くの噴水のあいだでインドに対するバッコスの勝利を的外れにも記念するものとなっていたにちがいない。伝えられるところによれば、そこではインドがバッコスによって葡萄園に姿を転じられていた。しかし、このおどおどして首尾一貫しない異国趣味など、ボマルツォに比べたらとるに足らぬものではないであろうか。

ヴァザーリは、ボマルツォの近くのカプラローラについて「いまだ世に広く知られることなく、人里離れた場所に位置しているにもかかわらずすばらしい場所」と述べているが、この言葉はカプラローラよりもボマルツォにいっそうぴったりあてはまる。ローマから比較的近いにもかかわらず、実に地の利の悪いところに位置しているため、そこへのドライヴを具体化するために私は友人たちと長いこと相談を重ねなければならなかった。ウリクセス［ユリシーズ］とその一行のように、おそらく遠い未来のある日、年老いて遅ればせながらそこにいきつけるかもしれない、と諦めかけていたのである。ヴァージニア・ウルフの『燈台へ』（*To the Lighthouse*）のように、あてもなしに憂鬱に待ちわびるしかないと思っていた矢先、一九四九年一〇月のうっとりするほどすばらしく晴れた日のこと、われわれは、のちにシカゴの科学産業博物館に首尾よく収まることになる一九三二年型の古いアウグスタ車に乗って、ヴィテルボ、バニャイアを経由し、あっというまにボマルツォに到着した。

ところが、われわれが村に入って地元のガイドに、「観光客はよくくるのか」と——返事のかわりに首を景気悪く横にふるものと確信して——たずねると、彼は「アメリカ人やカナダ人が毎日……」と答えたのである。正直なところ私は、アンドレイ・ベロボロドフというロシア人の画家が私に話を聞かせてくれる日まで、イタリアの大多数の人びとと同様、ボマルツォの存在を疑っていた。ベロボロドフはローマの別荘や廃墟をこよなく愛し、それらを雨や巻雲といった静かで夢想的な背景とともによく描く人物であるが、彼にしてもあるアメリカ人女性にボマルツォの場所を教えられたのである。われわれより少しまえにはサルバドール・ダリがここを訪れている。ベロボロドフの友人がダリにこの地を教えたのである。ダリは、例の宣伝根性から撮影部隊を引き連れていき、さっそくそこで自らの短編映画の主人公を演じた。奇矯《ビザッロ》なものに目のないあのサシェヴァレル・シットウェルがボマルツォへいったという話を、いまだに耳にしないのは不思議である。というわけで、ボマルツォは、発見されたとか秘境であるとかいまさら言える場所ではないのであるが、好奇心はあっても貧しいイタリア人はこのようにいきづらい場所に近づけないし、金持で贅沢な車をもっているイタリア人はもっとわかりやすくて人目を惹く場所しか知らない。写真だけでは、ボマルツォのイメージを忠実に伝えることはできない。そこにあるのは灌木ばかりで、そのためにカメラを置く場所を決めるのがむずかしく、葉の生い茂った大木でもあれば彫像の大きさを知るための比較の対象となるのに、それもない。そこにいったことのない人は、写真で見ると茂みのあいだに小さな物体があると思うかもしれない。だからといって、尺度の感覚を与えるために、カメラマンが村の子どもたちを集めて彫像の周りに配置するという常套手段に訴えれば、孤立感に包まれたその場所の魔力が台無しになってしまうであろう。

　ボマルツォは、旅行案内書にはエトルリアの遺跡として載っており、件の庭や巨大な彫像群については概略的に触れられているだけである。制作年代、委嘱者や作者についてはまったく不明で、諸説もくいちがっている。最近地元で発行された絵葉書では、一四〇〇年頃のオルシーニ公家のヴィッラの跡とされている。アンニーバレ・カーロは、一五六四年一二月一二日付のヴィチーノ・オルシーニ公宛の書簡で「ボマルツォの驚異《メラヴィリエ》」に触れている。またオルシーニ公の城館に巨人伝説をどのように描かせるか（巨人伝説を描かせるという着想がオルシーニ公自身の思いつきであったことは注目に値する）について彼は助言を与え、その主題は「ほかにも異様で超自然的なものが数多くあるその場所にまさにふさわしいものです」と述べている。それらは別の書簡（同年一〇月二〇日付）で言及されているボマルツォの「劇場と霊廟」のことなのか、そしてこれがエトルリアの遺跡を指すのか。あるいはこの庭園の巨大な彫像群のことを言っているのであろうか。公爵の空想力が巨大なものや異様なものに傾いていたことを考えあわせると、そう理解するのが妥当なのかもしれない。ケールテはパラッツォ・ツッカリに関する著作で、フェデリコ・ツッカリがローマのパラッツォ・ツッカリ（一五九〇年代建造）のあの奇矯な庭園の入口を設計したさい、ミケランジェロ風のカルトゥーシュ装飾とブリューゲルの地獄的ヴィジョンの中の建造物の姿にデフォルメされた怪物とにモデルを求めた、と指摘している（敷居に冥界の神プルートとその妻プロセルピナを配し、パラッツォ・ツッカリと類似する装飾をほどこした扉は、パリ国立図書館所蔵の一五世紀の彩色写本『恋の挫折』［*Échecs amoureux*］の中にも見いだされる）。

ところで、ボマルツォの城館のフレスコ画はツッカリ兄弟の描いたものであり（アンニーバレ・カーロは一五六四年一〇月二〇日付の書簡で、タッデオ・ツッカリを適任者として推薦した）、いわゆる公園の彫像群も、フェデリコ・ツッカリがローマのパラッツォ・ツッカリのグレゴリアーナ通りに面した外壁に考案した奇矯な窓や入口を模倣したため、大味で田舎くさくなったと結論するのが正しいと思われる。逆に、ボマルツォの怪物（図1）とグレゴリアーナ通りの巨大な仮面の入口［「グロテスク」を参照］が酷似している点に鑑みると、ツッカリは着想をボマルツォに提供したのではなくそこからとった、とも考えられる。ヤーコプ・ヘスが示唆しているように、ミケランジェロの弟子で召使いであった、かのヤコポ・デル・ドゥーカがボマルツォの彫刻の制作に参加したと想像せずにはいられない（彼はまた庭園の装飾に携わり、カプラローラの彫像をいくつか制作したかもしれない）。というのもヤコポ・デル・ドゥーカは、シチリア人であり、それものちの一八世紀にボマルツォと同様に数多くの奇矯な怪物で奇抜さの極致を示したヴィッラ・パラゴニアから遠くないチェファル出身なのである。

一方、ボマルツォの庭園装飾の委嘱者ヴィチーノ・オルシーニ公は、フランチェスコ・サンソヴィーノの『著名人伝』（*Uomini illustri*）第二巻で、その生涯と君主然とした風貌を称えられ、武芸と学芸を愛好した人物であったと伝えられている。彼は一五七四年頃まで生きたが、その後継者たちは彼の豪奢な理念《イデア》を受け継ぐどころではなく、負債をかかえこみ、一六四五年に城館はランテ・デッラ・ローヴェレ家に売却される憂き目にあったのである。奇怪な彫像群は

図1――《地球とオルシーニ家の紋章をいただいたマスケラ》

ヴィチーノ・オルシーニ公爵の存在があってはじめて実現され、アンニーバレ・カラッチは制作のための示唆を与えたと考えるのが妥当であろう。

怪物や奇想に満ちた造型については、ウィトルウィウスがあげた例のほかにも、もっと身近のところにミケランジェロによる同様の奇妙な作品がある。またボンコンパーニ家の紋章と同じドラゴンが、どれほど思いがけずに出現するかを見たい人は、『グレゴリウス一三世の生涯と作品と行状をめぐるテラモのプリンチピオ・ファブリチィ氏の隠喩、インプレーサ、エンブレム』（*Allusioni, imprese e emblemi del sig. Principio Fabricii di Teramo sopra la vita, opere, et attioni di Gregorio XIII*）に収められた図柄を一瞥されるとよい。そこには「かの教皇の紋章であるドラゴンの寓意《アレゴリア》の下に、キリスト教君主の真の姿が描かれている」（ローマ、一五八八年）。象について言えば、この動物は一六世紀初頭にはローマに住む人びとに親しいものであった。ポルトガルのマヌエレがレオ一〇世に贈った名高い象のハンノは、公式の行列にしばしば姿を見せ、一五一六年にハンノが死ぬと、教皇はラファエッロに、その墓に象の肖像を制作するよう命じた。

図2――《オルシーニ家の紋章をもった熊》
図3――《ライオンと犬から守るドラゴン》

NO
FI
A GVAR
GIVR

図4——《兵士を鼻でつかむ象》
図5——《ヘラクレスとカクス》

ボマルツォの灌木の林の中では、オルシーニ家の熊《オルシ》たち（図2）が胸に薔薇の紋章（石の奇妙な気まぐれから偶然にも赤みがかった色を帯びている）を抱き、ドラゴンがライオンと犬の攻撃から身を守っている（図3）。また塔を背に載せた象が鼻で戦士をつかみ（図4）、ヘラクレスが鎧を踏みすえて巨人カクスらしき人物を引き裂き、真っ逆さまに突き落としている（図5）。獰猛で、いささか子どもっぽく田舎くさいこれらの彫像群は、オリエントの神官の洗練されたエンブレム［紋章］とはまったく別種のものである。別の場所では巨大な鯨が茂みのあいだから顎を突きだしている。さらにその先には、巨大な亀（図6）、河神の像、かつては噴水であったらしい厳かなニンフ（図7）、横たわるアリアドネ、小高い丘の上のペガサス（その麓にはヒッポクレネの泉が湧きだしていたにちがいない）、彫像が彫りこまれた洞窟、壊れた壺、うずくまる大きなスフィンクス、扉と床が傾いた家（それは「わざとらしく建てられたあばら屋というよりも、空想的で孤独な人間の家といった風情の」ポントルモの家を髣髴とさせる［図8］）が散在している。

一六世紀の庭園に共通する人目を楽しませようとする意図が、ここでは人を驚かせ脅えさせるという意図に転じている。この土地で採石されるらしいペペリーノ石で制作されたこれらの荒々しい彫像は、岸壁や茂みの合間のそこここに気ままに姿を見せているが、エトルリアの劇場の遺跡の周りではいくらか規則的に配置されていて、それらの田舎っぽい荒々しさがひときわ目を惹く。河神、あるいは海神オケアノスがしどけなく脚を開いている。カクスらしい人物はあまりに不格好で、一八四六年にボマルツォについての書物を著わした善良なる司祭ルイジ・ヴィットーリは、どうやらこれを女性像と見まちがえたようである。こうした荒々しさが、神話上の創造物たちの発する威圧的な獰猛さや残酷さの印象を高めているのであろう。優雅なイタリア美術とはあまりにかけはなれたこうした印象は、まさにそれ自体のために、またそれをとりまく野性味あふれる自然のために、もし先の述べたような東方《オリエント》の様式化された紋章でもあれば、インドか中国の人里離れた土地にいるような錯覚を起こさせるであろう。

しかし例の象からあまり遠くないところには、ヴィニョーラ風の調和ある小神殿がある（ヴィニョーラとツッカリ兄弟はラツィオ地方北部の芸術を一手に引き受けていたらしい）。この小神殿はのちにピエルフランチェスコ公がガレアッツ

図6——《巨大な亀》
図7——《厳かなニンフ》
図8——《扉と床が傾いた家》

ォ・ファルネーゼの娘である妻ジュリアのために建てたもので、ボマルツォという地名も、怪物にではなくこの神殿に由来している。地平線に眼を向けると、生い茂る灌木に囲まれた岩壁の上に身を横たえた船のような城館を中心としたボマルツォの街全体が見渡せる。中部イタリアやガスパール・デュゲの絵でよく見受けられる塔をいただいたアクロポリスのようなその姿は、一〇月の空の金色の煌めきに包まれ、柔らかなサファイアに彫りこまれたような遠方の山々を背に輪郭を際立たせている。城館のファサードには胡桃の外皮を思わせるビロードのような緑色が映え、褐色の家々が断崖の上に立ちならび、あちこちで砂金のように反射して輝いている。一〇月の太陽はかくも魅惑的に降りそそぐ。あの異様な怪物たち、ウルカヌスの大地の夢と夢魔《インクブス》たち、森の迷宮の怪物たち、それらと対照的なこのイタリア的風景には穏やかな荘厳さが漂っている。

（一九四九年［白崎容子］）

カプラローラ

あらゆる文化サイクルがひとつの典型的なモニュメントによって表わされると考えるなら、シャルトル大聖堂が中世という文化サイクルの総合《ジンテーゼ》としてわれわれの前に登場するように、パラッツォ・カプラローラ（パラッツォ・ディ・カプラローラ）は一六世紀イタリアのこのうえなき典型とみなすことができるであろう。このパラッツォは美的な目的で建てられたわけではない。とはいえ、堡塁やテラス、階段から構成された城館の上に、まるで指輪のリング上に置かれたブリリアント・カットのダイアモンドのように建てられた、このアレッサンドロ・ファルネーゼの宮殿以上にすばらしいものがほかにあるであろうか（図1・2）。パラッツォの内部装飾は、ちょうどスコラ哲学に体系にもとづいて配置されたシャルトルの彫像や浮彫りが中世のすべての詩想を白日の下にさらしているように、一六世紀世界の本質を示すプログラムにしたがって制作されている。シャルトル大聖堂が貧者のバイブルであるとすれば、われわれはパラッツォ・カプラローラに、異なる時代、異なる風土における尊大な枢機卿の聖務日課書や王侯君主の時計、つまり富者のバイブルを見いだす。一種の百科全書的な思想がこの二つのモニュメントの装飾をかたちづくっているが、無数のシンボルの中に論理的に分節化された中世の普遍的な観念体系は、トレント宗教会議（一五四五年〜六三年）以降の一六世紀においては、スコラ哲学的な方法を復旧しようとする努力にもかかわらず、個々ばらばらな連関を欠いた寓意図像《アレゴリーア》をつくりだすことに寄与するだけであった。それはもはや求心的な観念体系ではなく、諸観念のアマル

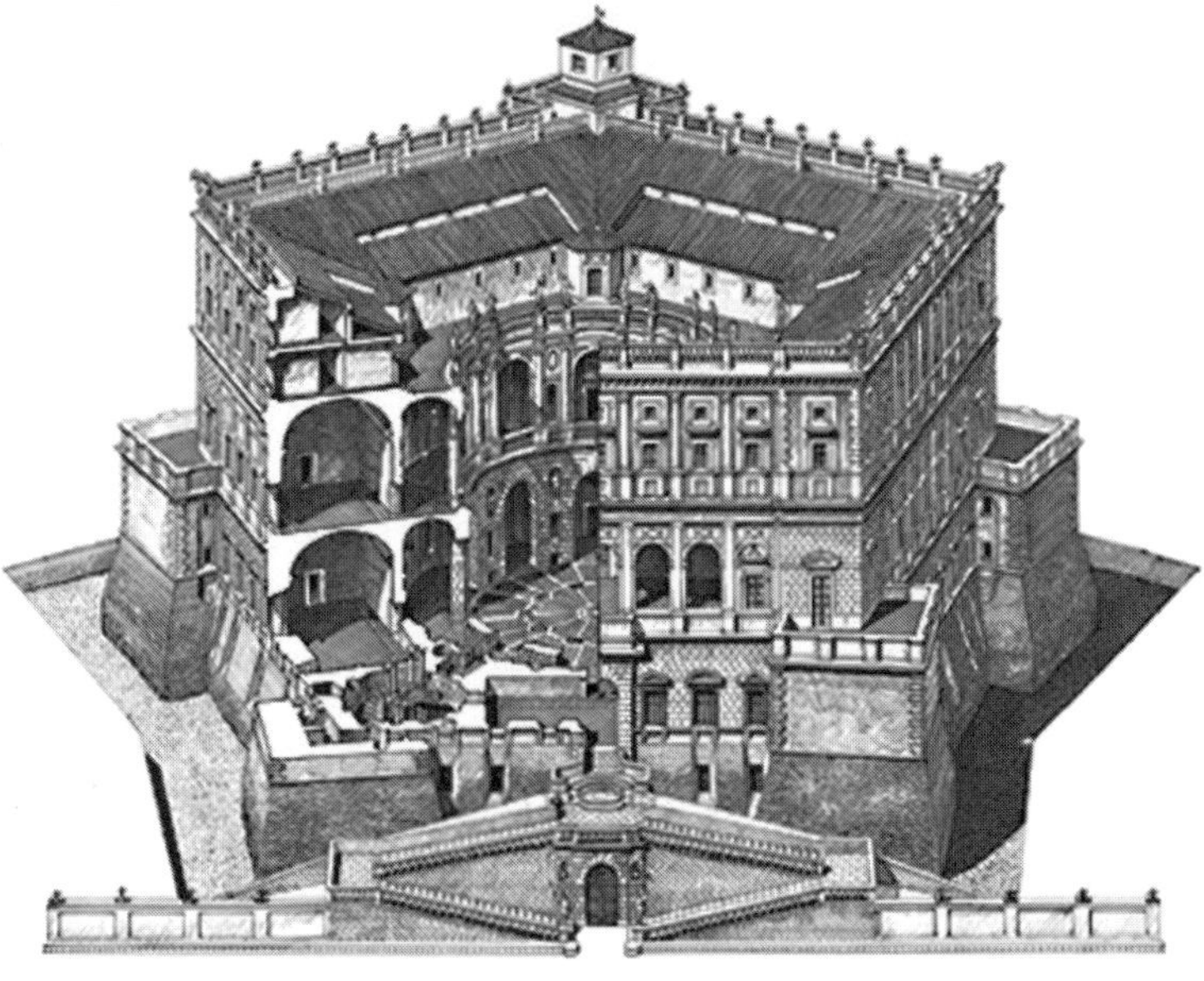

図1――アレッサンドロ・ファルネーゼ
パラッツォ・ファルネーゼ　前景　一五六〇年頃
カプラローラ

図2――フランチェスコ・ヴィッラメーナ
『パラッツォ・ファルネーゼの図解』

図3――タッデオ・ツッカリ
「ファルネーゼ家の記念の」間　天井画
一五六三年〜六五年
カプラローラ　パラッツォ・ファルネーゼ

ガムである。つまりサン・ヴィクトルのフーゴのかわりに、そしてオータンのホノリウスのかわりにダニエッロ・バルトリが、ダンテのかわりにジョン・ダンが、トマス・アクィナス『神学大全』(*Summa theologica*)のかわりにアンニーバレ・カーロの書簡が、とってかわるのである。オノフリオ・パンヴィニオやフルヴィオ・オルシーニの協力を得てカーロが構想したプログラムにしたがって、パラッツォ・カプラローラの冬や夏用の部屋を、ツッカリ兄弟、ジャコモ・ベルトイア、ジョヴァンニ・デ・ヴェッキ、アントニオ・テンペスタ、そのほかの画家たちがフレスコ画で装飾している(図3)。壁画装飾の目的は、一六世紀末の芸術的理想にしたがって道徳的教訓を絵解きし、目を楽しませることであった。道徳的教訓の絵解きには、天井の大きな壁画や「とりはずしのできる」カンヴァス画が役立てられ、それらの絵画を華麗に縁どる洗練されたグロテスク文様や白と金色のストゥッコ装飾が目を楽しませる(図4)。この装飾がほどこされる数年まえにリヨンで出版されたアルチャーティの『エンブレム集』(*Emblemata*)では、寓意画は精神に有益でなければならず、それに付帯する優美なグロテスク文様の縁どりは目を楽しませる目的をもつ、と述べられている。

ところで、アルチャーティのエンブレムの数々はエピグラムによって註解されていて、そこでは形象と言葉の意味とが互いを明瞭化し、双方が協力しあってひとつの総合的な効果を生みだしているが、パラッツォ・カプラローラの壁画も『パラティーナ詞華集』(*Antologia Palatina*)によって聖別された様式《マニエーラ》に則る一連のエピグラムにその詩的注釈を見いだすことができる。それはアウレリオ・オルシの『カプラローラ』[☆1](*La Caprarola*)で、この洗練された人文学者《ウマニスタ》については、一九三五年にフリッツ・バウムガルトがローマの言語学会でそのラテン小詩を発表するまでなにも知られていなかった。その一連のエピグラムは、パラッツォ・カプラローラの部屋の数々や庭園の機智の富んだ案内役の役割を果たし、画家たちの作品に苦心して織りこまれた教訓的内容を詩的綺想《コンチェット》に置き換え、修辞的な疑問形や引用符によって形象にマニエリスティックな気どりを添えながら、それを包む壮麗な邸館のイメージ、すなわちファルネーゼ家の「黄金宮殿《ドムス・アウレア》」の外観を損なってはいない。

図4――タッデオ・ツッカリ
「秋の間」の天井装飾　一五六〇年～六二年
カプラローラ　パラッツォ・ファルネーゼ

図5――《乙女に飼い慣らされた一角獣》
ファルネーゼ家のインプレーサ
カプラローラ　パラッツォ・ファルネーゼ

五つの頭が自らを誇示し、
その頭頂を天に突きだしているさまを見よ。

しかしファルネーゼ家の華麗なエンブレム――乙女に飼い慣らされた一角獣［図5］、ユピテルの雷光、アウロラの恵みであるペガサス、標的に刺さった矢、危険なシュプレガデス［ギリシア神話において、アルゴー船団に立ちはだかった、二つの大岩がぶつかりあう海の難所］を越えて航海する船――に付されたエピグラムよりも、あるいは食料庫や台所といった、いわば館の腹から始まり、「曙の間」、「孤独の間」、「夢の間」、「栄華の間」といったより精神性の高い部屋へと徐々にわれわれを導き、高雅な住人の観想的生や悦びを誘う活動的生を、道徳的教訓を示唆するエピグラムよりも庭園の喜びを、そして夏のさなかに噴水と冷気を含んだ洞窟や暑気を遮断した寝室によってつくられた涼しげな人工物の奇跡を謳ったエピグラムの方が、いっそうわれわれを魅了する。

汝、ファルネーゼにして為しえぬことなどあろうか。
汝の命令で、雨も降れば、冬に変わって夏もこよう。

同じころアントン・フランチェスコ・ドーニがその短いパラッツォ論で書いているように、「夏を楽しむことができなければ、どんな慰めも虚しい」のである。おそらくアレッサンドロ・ファルネーゼ枢機卿は、涼気を追求することにかけてては、ずっとのちにモンカーダ枢機卿が実現する洗練――それについてはロレンツォ・マガロッティが『香土論』（*Lettere sui Buccheri*）で語っている――にまでは到達できなかったようである。パラッツォ・カプラローラのどの部屋にも、地下墓室のような深い浴室にさえ、モンカーダ枢機卿が「自分と友人たちのために、夏のもっとも暑いときにそこで過ごす目的で、マドリードの彼の館に掘らせた」ボベダ（Boveda）と呼ばれる地下室に似たものはみいだされない。しかしパラッツォ・カプラローラには冷気に満ちた洞窟があり、そこでは猫の額ほどの池の反射と松明の光を利用して、涼気と香気のたちこめる中で、田園劇『忠実な羊飼い』（*Pastor fido*）［ジョヴァンニ・バッティスタ・グァリーニ作］を上演することもできた。こうした優雅な風趣《ガランテリア》とスペイン‐シチリア人のモンカーダ枢機卿のボベダはそれほど隔たってはいない。いずれにせよこうした経験からイタリア的感性の重要な発展が始まるといっても、イタリアのヴィッラにおける夏の影響を過大評価することにはならないであろう。

テーヌの生硬な環境決定論に与せずとも、四季の特殊な性格がある種の国民の詩情に与える影響は容易に観察できる。『薔薇物語』（*Roman de la Rose*）や同系の物語に見られる詩情は、フランスという比較的寒い国において、奇跡とも思える甘美な春の到来は人間に呼びさます感情から生まれたように思える。こうしたフランスのモデルにもとづいて、昔のイタリア人たちも春の到来を詠ったが、イタリアの恵みの季節はようやくバロックの時代になって発見されたのである。そしてそれは、春ではなく夏であった。喜びと驚きに満ちたマリーノの『アドーネ』（*Adone*）は、まさにヴィッラにおける夏のけだるさから、イタリアの夏の基本的な感覚である無気力と清新な気分から生みだされた詩である。イギリスのような北方の国では、季節の変化が不明瞭なため、自然は肉体的条件とはさほど直結しない感情を呼びさますのであろう。イタリア人のあいだでも田園における孤独が評価されなかったわけではない――もう一度ドーニを引いておこう、「お偉方は、衆愚の喧噪から逃れるために、麗しいヴィッラを建てる」――が、しかしそれは、どちらかというと消極的な喜びとして受けとめられたのであり、一七世紀の英国詩人アンドリュー・マーヴェルがフェアファックス卿のヴィッラについて詠った有名な小詩ではじめて感得したような、田園風景や緑濃き庭園を前に覚える神秘的な恍惚感として感じられたわけではない。

イタリアでは感性の陶冶は別の仕方でなされてきた。つまりわれわれの本当の教師は夏であったのである。そしてこのことはおそらく、なぜイタリアの芸術においては彫塑的で視覚的な面が勝っているのか、またイタリアではなぜ孤独とメランコリーの娘であるロマン主義の血脈がかくも乏しいのか、ということを説明してくれるであろう。イタリア文学史の序章には、イタリア人の基本的体験のひとつをはじめて分析したロレンツォ・マガロッティの一六八四年の書簡が載せられてしかるべきである。「イタリアやスペインでは、暑さがとても強烈で、長い平安と静穏がそこに住む住人たちの心を柔和にし、悦楽に向かわせたのである。そこでは灼熱の夏も神々の一種の贈りものと考える必要がある。あなた方が暑い真昼に外に出ると、太陽の照り返しによって目を開けられないほどの暑気が包みこむが、しかしそれは朝から晩まで全身を貫くようなものではない（マガロッティは北方の人に向けて書いている）。家屋の一階に一歩踏みこむと、そこは夜の涼気を吸いこみ、朝早くから何度も水を打たれ、またカーテンや簾、ガラス戸、日除け扉、そして場合によっては水や芳しい香酢をしみこませた上質の垂れ幕が備えられている。部屋の中に入ると、そこには光が射しこむこともなく、適度に薄暗い。光と翳の中であらゆるものがジャスミンの香に包まれ、その香はどのテーブルにも備えられた蚊帳吊草を通奏低音として和音を奏で、ひんやりした空気に芳しい香を与え、その香で精気《スピリト》を漂わせる」。マガロッティはアウレリオ・オルシがその詩に詠ったのと同じ奇跡を会話調で分析している。

涼気をとりなさい、それこそ炎熱の夏の醍醐味、
太陽の下で雪が凍てつく。

このようにパラッツォ・カプラローラは、イタリアの一六世紀の文化の総合《ジンテーゼ》であるだけでなく、その庭園や洞窟、噴水によって、イタリアの夏の奇跡を召喚する劇場であり、一度は訪ねてみる価値があると言える。しかしイタリア人のうちどれだけの人がそこを知っているのであろうか。どれだけの人が訪れたのであろうか。「ほんのわずかな人にすぎません」と、もはや礼拝する人ひとりもいない教会の司祭のごとく、家具もなく住人もいない家に寝起きするのにうってつけの執事であるパラッツォ・カプラローラの管理人は語っている。

（一九四〇年［森田義之］）

エピローグ　ルネサンスからマニエリスムへ

マリオ・プラーツは一八九六年九月六日にローマで生まれた。父のルチャーノの祖先はスイス系で、一六世紀にイタリア北部のヴァッレ・ダオスタに移住してきた。母のジュリア・マルシャーノの家系はオリヴィエートの領主であったマルシャーノ伯に遡る。中学・高校時代はフィレンツェで過ごし、一九一八年にローマ大学法学部を卒業し、そののちフィレンツェ大学文学部に学んでダヌンツィオの言語に関する論文を提出した。ついで彼の関心はイギリス文学に向かい、一九二三年に外務省から奨学金を得てイギリスに渡り、その年の末からはリヴァプール大学でイタリア語を教えながら研究に邁進した。

その研究の成果は早くも一九二五年の『イギリスにおける一七世紀主義とマリーノ主義』（*Seicentismo e Marinismo in Inghilterra*）に結実する。続いて一九三〇年に、彼の主著となる『ロマン主義文学における肉体と死と悪魔』（*La carne, la morte e il diavolo nella letteratura romantica*）［国書刊行会刊］が刊行される。この著作は一九三三年に、英語版がオクスフォード大学出版会から『ロマン主義的苦悩』（*The Romantic Agony*）というタイトルで刊行され、英語圏におけるプラーツの名をいちやく高めた。また一九三四年には、第二の主著というべき『綺想主義研究』（*Studi sul concettismo*）［ありな書房刊］が刊行され、この研究もまた、一九四七年にロンドン大学ウォーバーグ研究所から出版された英語増補版『一七世紀イメジャリー研究』（*Studies in Seventeenth-Century Imagery*）によって広く知られることになる。

一九三四年にプラーツはローマに移って、ジュリア通りのパラッツォ・リッチに居を定め、それ以来三〇数年をそこで過ごした。一九六九年にテヴェレ川に面するパラッツォ・プリーモリの最上階に移る。このパラッツォはプリーモリ財団の所有であったが、当時プラーツは財団の理事長を務めていた。ここに一三年間暮らし、一九八二年三月二三日、プラーツは八五歳で生涯を閉じた。

プラーツは七〇歳で定年退職するまでローマ大学で教鞭を執りつつ、また退職後も精力的に研究と批評活動をおこなった。『室内装飾の哲学』（*La filosofia dell'arredamento*, 1945）、『ムネモシュネ――文学と視覚芸術との間の平行現象』（*Mnemosyne, The Parallel between Literature and the Visual Arts*, 1970）〔ありな書房刊〕、『カンヴァセイション・ピースィズ――ヨーロッパとアメリカの非公式集団肖像画論』（*Conversation Pieces, A Survey of the Informal Group Portrait in Europe and America*, 1971）などの単著のほかに、膨大の量の論考を新聞や雑誌に執筆しており、それらはいくつもの論文集――『官能の庭』（*Il giardino dei sensi*）、『蛇との契約』（*Il patto col serpente*）、『ペルセウスとメドゥーサ』（*Perseo e Medusa*）、『ローマ百景』（*Il panopticon romano*）〔いずれも、ありな書房刊〕など――にまとめられている。

彼が論じる対象はルネサンス期から二〇世紀まで、文学と芸術のすべての分野にわたり、該博な知識を縦横無尽に駆使しながら、「プラーツ風」（prazzesco）と呼ばれる独特の、一種の皮肉と諧謔が混じったスタイルで執筆を続けた。本書『マニエーラ・イタリアーナ』に収められた、ルネサンスからマニエリスムまでを射程とする一一篇は、すべて新聞と雑誌に発表されたものであり、そのうちの九篇はローマの日刊紙『イル・テンポ』（*Il Tempo*）の文化欄に掲載された（プラーツは同文化欄の常連の寄稿者であった）。執筆時期は、「ボマルツォの怪物」と「カプラローラ」（いずれも一九四〇年代）を除いて一九六〇年から七〇年にかけてのものである。すべて、書評・新著紹介という形式をとってはいるが、いずれもプラーツ自身の見解が自由に展開された論考と評すことができる。その具体的な例として、二つの論攷を紹介しよう。

本書の冒頭を飾る「ヒエロニムス・ボスの〈奇矯な相貌〉」は、ネーデルラントの画家ボス（一四五〇年～一五一六年）をめぐるシャルル・ド・トルナイの研究（一九三七年）からヴィルヘルム・フレンガーの研究（一九四七年）を経て、ヴェルトハイム＝アイメスの研究（一九五七年）までたどりながら、一方でロジェ・カイヨワやユルジス・バルトルシャイテスに言及しつつ、ボスとシュルレアリスム――とりわけサルバドール・ダリ――を類比させて、ボスが有する幻想性の豊饒さについて注目する。プラーツ自身によるボスの《快楽の園》の解釈においては、「自由心霊運動」という異端派との関係を強調したフレンガーを踏まえつつ、マルグリット・ポレートの『純朴なる魂の鏡』との類縁性を強調して、ボスは「自らの『被造物の歌』を歌った」と結論している。

本書の中心となる「マニエーラ・イタリアーナ」は、ローマ大学近代美術史教授だったジュリアーノ・ブリガンティ（一九一八年〜九二年）の『マニエーラ・イタリアーナ』（一九六一年）の刊行を機として執筆された。この書物は一九四五年刊行の『マニエリズムとペッレグリーノ・ティバルディ』の改訂版であり、装いを新たにして現われたのは、美術史においてもっとも新しいカテゴリーであるマニエリズム（マニエリスム）が市民権を得た時代であった。プラーツは一六世紀の美術は、たんにイタリアの作品だけではなく、すべての作品がマニエリズムの徴を帯びているとして、ブリガンティの言葉を引いている。すなわち、この時代に、「非合理で、奇智あふれる、主観的な効果に満ちた、古典的世界の歪曲」が見られ、そして、「形成されたばかりのルネサンス様式のいまだ若々しい幹の上に、新しい感受性が接ぎ木された」。プラーツによれば、マニエリズムは、ある点では国際ゴシック様式もしくは火焔ゴシック様式と類似しており、ほかの点ではロココ様式と類似している。カルトゥーシュ装飾、様式化されたされた花文装飾、ロカイユ装飾は互いに血縁関係にある。そこでは「モード」と呼びうる「マニエーラ」が支配しており、この様式は自らの最適の土壌を趣好と流行の祖国フランスに見いだした、と私見を披露している。

本書に収められた論考の初出は以下のとおりである。

「ヒエロニムス・ボスの奇矯な彫刻」（“Le « strane apparenze» di Hieronymus Bosch,”: “Hieronumus Bosch,” *Prospettive*, 15 marzo

1940, pp.11-13; "Eretici medievali," *Il Tempo*, 26 febbraio 1966）。

「一五世紀版ジョイス」（"Un Joyce del '400," *Il Tempo*, 19 agosto 1961）。

「ルネサンスといくつもの再生」（"Rinascimento e rinacenze," *Il Tempo*, 28 aprile, 1961）。

「逆光のルネサンス」（"Rinascimento controluce," *Il Tempo*, 15 gennaio, 1960）。

「反ルネサンス」（"L'antirinacimento," *Il Tempo*, 27 gennaio 1963）。

「マニエーラ・イタリアーナ」（"La maniera italiana"; "Il manierismo italiano," *Il Tempo*, 21 gennaio 1962）。

「ラビュリントス」（"Il Labirinto," *Il Tempo*, 12 marzo 1968）。

「マニエリスムの奇矯な彫刻」（"Sculture bizzarre del manierismo," *Le Vie d'Italia*, decembre 1965, pp.1561-68）。

「グロテスク」（"Le grottesche"; "Fantasia con metodo," *Il Tempo*, 15 febbraio 1970）。

「ボマルツォの怪物」（"I mostri di Bomarzo," *Il Tempo*, 17 novembre 1949）。

「カプラローラ」（"Caprarola," *Il Popolo di Roma*, 5 dicembre 1940）。

邦語版『官能の庭——マニエリスム・エンブレム・バロック』は一九九二年二月に、若桑みどり・森田義之・白崎容子・伊藤博明・上村清雄の共訳で刊行された。本書はその第一部と第二部をもとに、一部の論考をさしかえて刊行するものであり、既訳についても訳者自身による検討を加えている。ただし、若桑氏と上村氏は故人になられているので、両者による翻訳については伊藤が新たに細部にわたって確認修正したことをお断わりしておきたい。

二〇二一年五月　訳者を代表して　伊藤博明　識

註

☆1――ヒエロニムス・ボスの〈奇妙な相貌〉
ユルジス・バルトルシャイテス（Jurgis Baltrušaitis）の『幻想の中世』（*Le Moyen Age fantastique*, Paris, Colin, 1955［西野嘉章訳、平凡社］）、『アベラシオン』（*Abération*, Paris, Perrin, 1557［種村季弘・巖谷國士訳、国書刊行会］）、『アナモルフォーズ』（*Anamorphoses*, 2e ed., Paris, Perrin, 1969［高山宏訳、国書刊行会］）に加えて、ロミの『突飛なるものの歴史』（Romi, *Histoire de l'Insolite*, Préface de Philippe Soupault, Paris, Laffont, 1964［遠園弘美訳、平凡社］）を参照されたい。René de Solier, *L'art fantastique*, Paris, Pauvert, 1916; Roger Caillois, *Au cœur du fantastique*, Paris, Gallimard, 1965. 邦訳は、ロジェ・カイヨワ『幻想のさなかに――幻想絵画試論』三好郁朗訳、法政大学出版局。

☆2――André Breton, *Le surréalisme et la peinture, Novelle edition revue et corrigée*, Paris, Gallimard, 1928-1965（アンドレ・ブルトン『シュルレアリスムと絵画』粟津則雄他訳、人文書院）.

☆3――たとえば、クロヴィス・トゥルイユ（Clovis Troulle）。彼が一九四〇年から一九五〇年にかけて描いた《魔術師》、《夢遊病のミイラ》、《私のトンボー》、《ジュスティーヌ》――これらの作品の複製は Orenella Volta, *Le Vampire*, Paris, Pauvert, 1962 に収められている――は、ボスの《快楽の園》の「地獄」を表わす右翼パネルに見いだされるモティーフを、すなわち生命を二本の黒い手によってつかまれている裸体の女性を〈紋切り型〉にしてしまった。

☆4――まったく無関係の背景から浮かびあがる巨大で茫然自失として顔というモティーフもまた、しばしばシュルレアリストたちによって、たとえばきわめて著名なマックス・エルンストによって、あるいはあまり有名ではないジャック・カルルマンの『巨人サロカ』（Jacques Carelman, *Saroka la géante*, Paris, 1965）において採りあげられた。

☆5――《夢》と題された、ドッソ・ドッシに帰せられている絵画（ドレスデン美術館蔵）。同様にプーシキンは『エウゲーニイ・オネーギン』（第五章、一六～一九行）において、タチヤーナの夢をボスの妖怪たちで満たしている（池田健太郎訳、岩波文庫、八六～八七ページを参照）。

☆6――この由来については以下で解説されている。Baltrušaitis, *Le Moyen Age fantastique*, pp.42-47, 62; fig. 21, 22, 26. 邦訳『幻想の中世』、五一～五六、六四～六八ページを参照。また以下を見よ。René de Solier, *L'art fantastique*, p.58.

☆7――Charles de Tolnay, *Hieronymus Bosch*, Basel, Les Editions Hoberin, 1937.

☆8――Caillois, *Au cœur du fantastique*, pp.30-33.

☆9――Wilhelm Fraenger, *Hieronymus Bosch, Das tausendjährige Reich*, Grundzüge einer Auslegung, Cobrug, Winkler-Verlag, 1947. 同じフレンガーは、『カナの婚礼』（*Die Hochzeit zu Kana*, Berlin, 1950）において、《カナの婚礼》についてある解釈を提示しているが、それについては Enrico Castelli, *Il demoniaco nell'arte, Il significato filosofico del demoniaco nell'arte*, Milano-Firenze, Electa Editrice, 1952, pp.65-66 に要約されている。

☆10――*Il movimento del Libero Spirito*, testi e documenti a cura di Romana Guarnieri, vol. IV dell'Archivio italiano per la Storia della Pietà, Roma, Edizioni di Storia e Letteratura, 1955.

☆11――Castelli, *Il demonico nell'arte*, p.64.

☆12――Jacques Combe, *Enciclopedia universale dell'arte*, vol.II, col.742.

☆13――*Il movimento del Libero Spirito*, p.459.

☆14――C. A. Wertheim-Aymès, *Hieronymus Bosch, eine Einführung in seine geheime Symbolik*, Amsterdam, 1957.

☆15――*Enciclopedia universale dell'arte*, vol.II, col.744.

☆16――マルグリット・ユルスナールもまた、《快楽の園》から想を得て『黒の過程』（Marguerite Yourcenar, *L' Œuvre au noire*, Paris, Gallimard, 1968）［岩崎力訳、白水社］の中の文章を書いたのであり（p.223）、「作者の覚書」において次のように述べている（pp.337-338）。「性的乱行の疑いがかけられ、ある種の博識者の、おそらくはあまりに体系的に過ぎる見解によれば、ボスの作品の中にその痕跡が認められるというアダム派の信徒たち、あるいは〈自由心霊運動〉の僧や尼僧たち……がいる」（同上訳四〇三ページ、ただし一部改変）。

一五世紀版ジョイス

☆1――一九五九年にパドヴァの Casa Editorice Antenore から刊行された。この出版社からまた、やはり二人の研究者の手になる「人文主義における文学上も印刷上も傑作」の校訂版が刊行されている（F. Colonna, *Hypnerotomachia Poliphili*, edizione critica e commento a cura di G. Pozzi e L. A. Ciapponi, 1964）。

★1――たとえば次の引用文中の「帆かけ舟、屋形舟何艘か」(alcuni lintri et scaphidi) において、“alcuni lintri” はイタリア語、“sacaphidi”

は綴りが、“-fi-”（イタリア語）ではなく、“-phi-”（つまりラテン語）となっている。「綺麗どころあまたを乗せて」（cum molte fanciulle）でも、“cum”はラテン語、“molte fanciulle”はイタリア語である。

ルネサンスといくつもの再生

☆1——— The Gottesman Lectures / Upsala University, 7, Stockholm, Almquist & Wiksell, 1960.

逆光のルネサンス

☆1———Presse Universitaires de France, 1959.

☆2———Editorice Heinemann, 1959, fotografie di Evely Hofer ed altri. 写真はきわめて美しい（メアリ・マッカーシー『フィレンツェの石』、幸田礼雅訳、新評論）。

反ルネサンス

☆1———Editore Feltrinelli, fine del 1962.

マニエーラ・イタリアーナ

☆1——— Giuliano Briganti, *Il Manierismo e Pellegrino Tibaldi*, Roma, Cosmopolita, 1945.

☆2——— *La Maniera Italiana*, Roma, Editori Riunti, 1961.

☆3——— Giorgio Melchiori, *The Tightrope Walkers*, London, Routledge & Kegan Paul, 1956 (trad. Ital., *I funamboli*, Einaudi).

☆4——— Gustav René Hocke, *Manierismus in der Literatur. Sprach-Alchimie und esoterische Kombinationskunst.* Hamburg, Rowohlt, 1959. 邦訳は、グスタフ・ルネ・ホッケ『迷宮としての世界』種村季弘訳、平凡社。

☆5——— Cfr. Arnold Hauser, *The Social History of Art*, London, Routledge & Kegan Paul, 1951. ハウザーのこの著作のイタリア語版は Einaudi 社から刊行されている（『芸術と文学の社会史』高橋義孝訳、全三巻、平凡社）。ハウザーは原著の第一巻三五八ページで次のように述べている。「ルネサンスにおいて空間や場面は、ただ外的に区切られているだけではなく、その内部がそれぞれ異なって構想された、多くの部分によって表現されていたが、このルネサンス的構成を破壊しはじめたのがマニエリズモである。マニエリズモは空間の多様な価値、異なる判断基準、一枚の絵画のさまざまな場面における主導的な動きの異なる可能性を認めた。……」。

☆6——Sylvie Bégin, *L'Ecole de Fontaineblaeu, Le Maniérisme à la cour de France*, Paris, Conthier-Seghes, 1960.
☆7——Giovanni Macchia, *Storia della Letteratura Francese*, Edizioni RAI, 1961.

ラビュリントス

☆1——*Libro dei labirinti, Storia di un mito e di un simbolo,* Firenze, Vallecchi, 1967.
☆2——*Nel mondo della Gerusalemme*, Firenze, Valecchi, 1968.
☆3——Milano, Bompiani, 1968.

マニエリスムの奇矯な彫刻

☆1——Roberto Longhi, "Ricordo dei Manieristi," *L'Approdo*, 2, 1, gennaio-marzo 1953.
☆2——Mario Praz, "Gli Orti Oricellari", in *Fiori freschi*, Firenze, 1943.
☆3——A. Venturi, *Storia dell'arte italiana*, p. 755.
☆4——E. Arslan, "Un documento sul Bertos nell'Archivio del Santo", *Il Santo,* 4, fasc 2, p. 68 (settembre 1931).
☆5——L. Planiscig, "Frabcesco Bertos," *Dedalo*, anno 9, 1928-29, vol. 1, p. 209 sgg. A. Griseri, *The Connoisseur*, nov. 1957.
☆6——H. Honour, "The Resrrection, an early XVIII c. Carving executed after the Design of Francesco Bertos," *The Connoisseur*, Nov. 1958, p. 250.
☆7——Christian Scherer, *Elfenbeinplastik*, Leipzig, Seemann, s. a. («monoguraphien des Kunstgewerbes»), pp. 13-14. John Pope-Hennessy, *The Burlington Magazine*, January 1954.
☆8——*Journal up the Stratis*, ed. by Howard C. Horsford, Prinston University Press, 1955. Cicognora, *Storia della Scultura*, vol. VI.
☆9——G. Mazzotti, *Ville Venete*, Roma, Bestetti,1957, pp.201-03.

グロテスク

☆1——Nocole Dacos, *La Découverte de la Domus Aurea et la formation des grotesque à la Renaissane*, London, The Warburg Institute; E. J. Brill, 1969.

カプラローラ

☆1——Cesare D'Onofrio, *Roma vista da Roma*, Roma, Edizioni «Liber», 1967, p. 34.

人名・作品名　索引

ヤ行

ラ行

官能の庭I

マニエーラ・イタリアーナ

——ルネサンス・二人の先駆者・マニエリスム

二〇二一年五月二五日　発行

著者——マリオ・プラーツ
訳者——伊藤博明（専修大学文学部教授／イタリア思想史）
白崎容子（元慶應義塾大学文学部教授／イタリア文学）
若桑みどり（一九三五年生～二〇〇七年歿／イタリア美術史）
上村清雄（一九五二年生～二〇一七年歿／イタリア美術史）
森田義之（愛知県立芸術大学名誉教授／イタリア美術史）

監修——伊藤博明（専修大学文学部教授／イタリア思想史）

企画構成——石井　朗（表象芸術論）

装幀——中本　光

発行者——松村　豊
発行所——株式会社　ありな書房
東京都文京区本郷一—五—一五
電話　〇三（三八一五）四六〇四

印刷／製本——株式会社　厚徳社

ISBN978-4-7566-2175-7 C0070

シリーズ　マリオ・プラーツ〈官能の庭〉Ⅰ〜Ⅴ　監修　伊藤博明

官能の庭Ⅰ
マニエーラ・イタリアーナ――ルネサンス・二人の先駆者・マニエリスム　定価　二四〇〇円＋税

官能の庭Ⅱ
アルミーダの庭――ペトラルカからエンブレムへ（仮）　予価　未定

官能の庭Ⅲ
ベルニーニの天啓――一七世紀の芸術（仮）　予価　未定

官能の庭Ⅳ
官能の庭――バロックの宇宙（仮）　予価　未定

官能の庭Ⅴ
マリオ・プラーツ――稀代の碩学の脳髄の中に（仮）　予価　未定